# M'ÉTENDRE SUR L'ASPHALTE

Julie Bosman

# M'étendre
# sur l'asphalte

*roman*

LEMÉAC • JEUNESSE

Ouvrage édité sous la direction
d'Hélène Girard

L'auteure tient à remercier le Conseil des arts et des lettres du
Québec pour son soutien financier à l'écriture de ce roman.

Illustration de couverture : Catherine Marchand

*Leméac Éditeur remercie le Conseil des arts du Canada, le gouvernement
du Canada, la Société de développement des entreprises culturelles du
Québec (SODEC) et le Programme de crédit d'impôt pour l'édition de
livres du Québec (Gestion SODEC) du soutien accordé à son programme
de publication.*

Canadä

ISBN 978-2-7609-4237-0

© Copyright Ottawa 2018 par Leméac Éditeur
4609, rue D'Iberville, 1er étage, Montréal (Québec) H2H 2L9
Dépôt légal – Bibliothèque et Archives nationales du Québec,
2018

Mise en pages : Compomagny

*Imprimé au Canada*

*Pour mes filles,*
*Marilou et Maxime.*

« Quand je parlai, ce ne fut que pour exprimer un désir impétueux de n'être jamais née […]. »

CHARLOTTE BRONTË, *Jane Eyre*


« Toute séparation est un lien. »

SIMONE WEIL, *La pesanteur et la grâce*

# NAÎTRE

Aujourd'hui, ma mère me donne la vie.

C'est big, quand même, *se faire donner la vie.*

Je devrais lui en être éternellement reconnaissante. Un jour, pourtant, je porterai dans mon ventre l'envie de planter dans son cœur de mère des phrases qui tuent.

Là, elle est à l'hôpital, dans les vapes. Mon père attend dans le couloir. Le médecin coupe le cordon ombilical, organe étrange qui a assuré ma survie jusqu'ici. Les infirmières s'acharnent à me nettoyer, me faisant ainsi brusquement prendre conscience de mon corps.

On a tous un corps, mais avant de venir au monde, on ne le sait pas de cette manière-là. On sort du ventre de la mère et paf! on est un corps, soumis à la lumière trop crue, aux voix trop fortes, aux gestes trop brusques. On flotte pendant quarante semaines, repu de plénitude, avant de quitter à regret ce cocon protecteur, qui comblait tous nos besoins sans le moindre effort de notre part. Ce qui était auparavant caché par le ventre de la mère nous tombe raide dessus.

Au moment même de la naissance, dans une autre sorte de fulgurance, on prend la mesure de notre cœur, de sa sensibilité aux modulations de tous les autres cœurs présents. Un cœur naissant, un cœur perméable, qui abrite le pressentiment des pertes à venir, sans se douter qu'elles seront si nombreuses et si douloureuses. Ni qu'elles feront de nous quelqu'un de perdu. Longtemps, même rendue grande. Jusqu'à ce qu'il y ait une perte qui nous force à choisir la vie une fois pour toutes. Mais ça, c'est une autre histoire, à raconter plus tard.

En naissant, donc, on est corps et cœur tout entiers jetés dans la vie, soumis à ses lois et à ses accidents, à ses hasards et à ses coïncidences, à ses obligations et à ses choix, à ses victoires et à ses défaites, à ses joies et à ses peines, à ses trahisons et à sa loyauté, et à tout ce qui se trouve entre les deux.

L'air s'engouffre dans mes narines, itinéraire précis, trachée, bronches, et gonfle d'oxygène les deux cents millions d'alvéoles de mes poumons. Exercice pénible qui me fait pleurer et calme instantanément les inquiétudes de ma mère. L'unique fois où mes pleurs auront cet effet sur elle.

À partir de maintenant, ma mère devra tenter d'interpréter mes cris et mes larmes. Ce bébé a-t-il faim, a-t-il soif, est-il mouillé, a-t-il des coliques, est-il fatigué ? Parfois, devant sa désespérante incapacité à me consoler, montera en elle, pendant que mon père dormira paisiblement, l'envie d'enfoncer ses ongles dans la peau tendre de mes bras. Pas beaucoup, juste assez pour soulager son envie de me secouer.

Elle s'en voudra de cette pensée, sans savoir encore que d'autres mères, comme elle, sentent cette chose indescriptible – cocktail de colère, d'impuissance, d'impatience, de fatigue – les envahir et prendre le contrôle de leur amour maternel.

On lui annonce : « C'est une fille ! » Elle se réjouit de pouvoir me prénommer Julie. Elle en rêve depuis l'enfance, depuis qu'elle en a connu une à l'école. Et puis ça tombe bien, ce prénom sera un clin d'œil à mon père. Ma mère n'est pas la seule à faire ce choix. À certains moments de mon primaire, nous serons quatre Julie dans la même classe.

Un sexe de fille, donc, avec deux bras, deux jambes, deux oreilles, une bouche, dix orteils, dix doigts, un cœur qui bat. A priori, rien ne cloche.

C'est ainsi que tout commence pour moi, le 22 juin 1970, un lundi, vers huit heures quarante, quelques semaines après le début du téléroman *Les Berger* et quelques mois avant la Crise d'octobre. Juste à temps pour fêter la fin des classes, l'arrivée de l'été et la Saint-Jean.

Ce jour-là, *La Presse* rapporte une «percée majeure contre le FLQ», la mort «d'au moins vingt et une personnes dans des accidents de la route, en ce premier week-end de l'été» et la critique par René Homier-Roy du spectacle de Tom Jones au Forum.

Parmi les annonces : un rabais chez Eaton sur la bicyclette Fastback avec levier d'embrayage Stormy Archer, «une analyse de la taille gratis» à l'Institut de culture physique Preston's, et des «offres bon-temps pour l'indolent plaisir d'un été de plein air» chez Canadian Tire.

Ma mère gardera cet exemplaire du journal dans ma boîte à souvenirs, avec toutes sortes d'autres bébelles comme les mèches de ma première coupe de cheveux, mes dessins d'enfant, mes bulletins, mes cartes de fête, etc., qu'elle me léguera à mon départ de la maison.

Certaines choses manqueront dans cette boîte, comme l'été de mes douze ans.

On me dépose enfin, emmaillotée, dans les bras de ma mère émue. Elle chuchote que je suis belle, en levant les yeux vers mon père souriant, qui fait la rencontre de son enfant, sans avoir eu à assister à la scène d'épouvante des entrailles. À cette époque, les pères restent en retrait, attendent d'être prévenus que la mère et l'enfant se portent bien. Je suis enveloppée de leur amour, mais aussi de leur inquiétude. Déjà parents d'un garçon de presque sept ans, ils se doutent bien que cette petite boule de chair palpitante transformera leur vie à jamais. Ils n'ont cependant pas assez d'imagination pour savoir à quel point.

Au cours de ma première année d'existence, je découvrirai les joies de porter les mains à ma bouche, le pouvoir d'attirer l'attention avec mes cris, je parviendrai à me tenir debout, à marmonner quelques mots, je constaterai mon dégoût de certains aliments et de certaines textures, je serai surprise de l'effet du gazon et du sable sous mes pieds. Plus tard, j'irai à l'école et j'apprendrai à lire, à écrire, à compter et, plus tard encore, je me péterai la gueule solide en vélo.

Je deviendrai quelqu'un qui pense, qui doute, qui conçoit, qui affirme, qui nie, qui ment, qui veut, qui ne veut pas, qui connaît un peu de choses, qui croit en savoir beaucoup, qui imagine, qui sent, qui déteste et qui aime.

Dans longtemps, je vivrai des événements qui me feront regretter d'être venue au monde. Je tiendrai ma mère pour responsable de ce regret, avec sur le bout de la langue des phrases qui tuent.

Je ne voudrai pas admettre que les saisons s'enchaîneront, qu'une feuille tombée de l'arbre sera remplacée par une autre au printemps suivant, que le temps arrangera les choses et qu'un cœur, même profondément blessé, continuera à battre.

Il sera encore trop tôt pour comprendre qu'il peut y avoir de la mort dans la vie et de la vie dans la mort.

Je m'endors, bercée par les roulements apaisants de la respiration de ma mère, inconsciente, comme elle, de ce qui m'attend, de ce qui nous attend. Et c'est tant mieux. Et c'est tout ce qui compte.

I

## DOMINIC

Dominic Laporte est trop beau. C'est mon ami. Pas mon ami comme mes amies de fille ni mon «p'tit ami», selon l'expression des adultes – même si j'en rêve un peu en secret –, mais mon ami tout court, qui habite sur la même rue et qui va à la même école que moi.

La famille de Dominic est différente de toutes les autres familles sur notre rue style-rond-point-cul-de-sac. Son père, Michel, jeans ultra serrés, boléro en cuir, me fait penser au chanteur Claude Dubois, qui s'est fait arrêter avec de la drogue au printemps dernier. Ç'a fait scandale et la une des journaux.

Même si le livre *Moi, Christiane F., 13 ans, droguée, prostituée...*, volé à mon grand frère et lu en cachette de ma mère, m'en a donné une idée, je ne sais pas trop à quoi ça ressemble en vrai, quelqu'un qui prend de la drogue. J'aurais aimé voir le film inspiré du livre à cause de David Bowie, mais ma mère dit que ce n'est pas des affaires pour une petite fille de mon âge, la preuve, c'est qu'il est interdit aux moins de seize ans, et je suis donc, à presque douze ans, encore loin du compte. *Fin de la discussion.*

Le père de Dominic a des bras musclés et tatoués. Mon père, lui, n'a pas la même shape et il fait souvent des régimes. Il n'a pas de tatous non plus, mais une longue, laide, large cicatrice court de sa poitrine jusque sous la ceinture de son pantalon. Un ulcère a explosé dans son estomac. Des médecins l'ont charcuté pour le sauver. C'était avant ma naissance. Mon père dit que s'il était mort, je ne serais donc pas née. Son affirmation me plonge dans un doute mystérieux.

Le portefeuille de Michel est relié à ses jeans par une chaîne, et je trouve ça bizarre. Il conduit une moto. Un chopper, me reprend Dominic. On l'entend arriver de loin. Mon grand frère, lui, vient de s'acheter une Kawasaki KZ750, édition Limited. Avec sa moto, sa guitare électrique et son ampli, mon grand frère se prend pour une rock star, mais juste quand nos parents sont absents. Autrement, il la joue low profile.

Je rêve qu'un jour Dominic vienne me chercher en chopper pour faire un tour, cheveux au vent, sourire aux lèvres. Il irait vite, mon cœur battrait de peur et d'excitation. J'en profiterais pour le serrer fort et il irait encore plus vite pour que je le serre encore plus fort. On rirait, super heureux et éperdus d'amour, comme dans un film.

Johanne, la belle-mère de Dominic, est la seule belle-mère de la rue. Elle est danseuse. Les autres mères parlent de Johanne en baissant le ton. Je devine qu'elles disent des choses que je ne dois pas entendre. Les pères, eux, la regardent, c'est tout. Je suis trop gênée pour demander qu'on m'explique. Mon amie Chantal dit que c'est une salope. Moi, je la trouve fine, mais c'est vrai qu'elle s'habille pas mal sexy, *ras la touffe, ras les boules*, comme dit Chantal.

Chez Dominic, dans son sous-sol, un village miniature cerné d'une vaste étendue désertique occupe toute la surface de la table de ping-pong. L'installation me rappelle le film *Il était une fois dans l'Ouest* de Sergio Leone, que je viens de voir sur la petite télé en noir et blanc de ma chambre.

Un chemin de fer électrique serpente à travers le décor aride de papier mâché. Des figurines de cowboys, d'Indiens, de chevaux et de vaches se tiennent immobiles çà et là, entre les collines, les cactus, le magasin général, le poste de shérif, le saloon, et autres maisonnettes. L'harmonica lancinant d'Ennio Morricone complète parfaitement le décor dans ma tête.

Chaque fois que Dominic m'invite à jouer aux cowboys et aux Indiens, je suis fascinée par le réalisme de cette construction miniature. Chaque fois, je mesure aussi ma chance d'avoir été invitée. Il aurait pu demander à Chantal, à Isabelle ou à Catherine. Il me choisit, moi.

Dominic a la même coupe de cheveux que le chanteur René Simard. Nathalie Simard, sa sœur, aussi chanteuse, était dans ma classe en quatrième année. Je me souviens qu'elle avait fini mon crayon bleu Prismacolor en coloriant la mer de notre projet de murale. J'ai rangé le moignon en pensant qu'elle aurait pu s'excuser ou m'en acheter un autre. Son frère et elle sont des vedettes, ils doivent donc être riches. Finalement, sa famille a déménagé. Je ne l'ai plus revue, sauf à la télé et dans les magazines, au bureau de ma mère.

Je suis bien plus obsédée par les personnages de l'opéra-rock *Starmania* que par René Simard tout propret. Mon père a acheté le vinyle double de *Starmania* avec les paroles à l'intérieur. Je transcris les chansons en imaginant que c'est moi qui suis l'auteure de textes aussi flyés. Mon père dit que l'aiguille de la table tournante va finir par passer à travers le disque.

Je le trouve beau, Dominic, avec ses cheveux et son air sauvage.

Même si on gèle, la gang joue à la tag barbecue en ce début de soirée de décembre encore sans neige. Je me suis cachée derrière le cabanon, facile à trouver, avec l'espoir ambivalent de recevoir la tag de Dominic.

Je n'aime pas être nerveuse. Malgré mes appels au calme, mon ventre se tord, mon cœur s'emballe. C'est comme si mon corps ne m'appartenait plus. J'essaie alors la technique du dentiste quand je panique devant ses instruments de torture. Une main sur le ventre, inspire par le nez, expire par la bouche, oui, c'est ça, gonfle, dégonfle, inspire, expire, gonfle, dégonfle… Mon cœur continue de s'affoler et ma tête se met à tourner.

Avec tout ça, je ne l'ai pas entendu arriver. Dominic est là, devant moi, son visage dans la lumière timide du lampadaire. Il dit que si je ne m'enfuis pas, je vais avoir la tag. Qu'il me la donne! Qu'il me la donne enfin! Il s'approche, un pas, il s'approche deux pas, et, à ce moment précis, mon corps choisit de vomir. À ses pieds.

Ses runnings barbouillés des restes de mon souper s'éloignent dans le noir. Entre deux soubresauts de mon estomac, le rire d'épaisse de Chantal m'achève. Je me couche dans l'herbe gelée de cette nuit étoilée de décembre et je fredonne tout bas…

*J'ai la tête qui éclate*
*J'voudrais seulement dormir*
*M'étendre sur l'asphalte*
*Et me laisser mourir…*
*Stone, le monde est stone*
*Je cherche le soleil*
*Au milieu de la nuit…*

23

C'est intense, mais de circonstance. Rien n'est pire que de dégueuler devant Dominic Laporte qui s'avance pour m'embrasser.

## GYROPHARES DANS LA NUIT NOIRE

— Vous avez fini d'jouer?

— Les autres sont encore dehors, moi, j'avais pus envie, c'tait plate…

Ma mère tricote dans le La-Z-Boy en regardant la télé. Je m'évache sur le divan, et, pour une rare fois, elle ne me demande pas de m'asseoir comme une *jeune fille de bonne famille*. Que ses yeux passent de l'écran à son tricot me soulage. C'est plus facile de mentir.

— Tu veux manger quelque chose?

— J'ai pas vraiment faim…

Euh… je devrais dire : *j'ai pas faim pantoute!* Je viens de vomir mon souper sur les souliers de Dominic Laporte. La honte. Je ne veux plus le voir. Jamais. Ça va être compliqué. On prend le même autobus jaune, au même arrêt-stop rouge, pour aller à la même école beige, avec les mêmes amis.

Je dois disparaître. Non, *lui* doit disparaître. Oui, c'est ça. Demain, il ne sera plus là. Il aura déménagé en pleine nuit avec son frère, son père et sa belle-mère pour fuir des méchants en chopper. C'est ça! C'est parfait! Il me restera à faire taire le rire d'épaisse de Chantal dans mes oreilles. Dominic va partir, Chantal va la fermer. Tout est réglé.

Mon scénario chambranlant me rappelle que ma mère me trouve douée pour imaginer l'improbable et nier l'évidence. Quand elle est la victime de mes entourloupettes, elle dit que la vie se chargera de me donner des leçons.

— En fin d'compte, j'ai faim, j'vais manger mon dessert.

— Y a des Whippets dans l'armoire.

J'en ai pris trois avec un verre de lait.

— Installe-toi sur la p'tite table pliante si tu manges ça ici.

Mon père l'appelle avec dédain la table de B.S., en référence *aux paresseux du bien-être social qui se font vivre par le gouvernement.* Mais il n'est pas regardant quand je m'en sers pour lui servir son déjeuner au lit la fin de semaine. Mon père est capable de dormir jusqu'à onze heures le samedi, même si c'est jour de ménage.

Ma mère ne se prive pas pour faire du barda. Je sens dans sa façon de déplacer les meubles et de passer l'aspirateur avec vigueur qu'elle lui en veut de ne pas se lever. Peut-être qu'il a juste besoin de récupérer. Toute la semaine, il part tôt pour travailler à Montréal et il se couche tard à cause de ses réunions d'animateur scout ou des travaux de rénos dans la maison.

Le premier Whippet, je le mange en une seule bouchée. La guimauve semble prendre de l'expansion jusqu'à l'infini. L'idée de mourir étouffée par une guimauve de Whippet me fait sourire. Une peur inoffensive qui ne dure qu'un temps et se termine en une extase fondante et sucrée.

Je cogne le côté bombé du deuxième biscuit sur la table de B.S. pour fendiller la couche chocolatée. Cette technique du Whippet fendillé m'a été inspirée par mon père. Il avait l'habitude d'écraser mon biscuit entre mes petits doigts d'enfant. Chaque fois, je me sentais humiliée. Je restais plantée là, au milieu de la cuisine, la main collée au biscuit détruit, en pleurant *comme une Madeleine*.

C'est ce qu'il dit quand il s'amuse à raconter cette histoire. C'est une drôle d'expression. Mon père m'a expliqué que c'est en l'honneur de Marie-Madeleine, qui a versé *un torrent de larmes* sur les pieds de Jésus. Je crois son explication. Mon père connaît la Bible par cœur ou presque.

— Arrange-toi pas pour que j'trouve du chocolat partout !

Ma mère est fatigante avec la propreté. Elle est toujours en train de chialer, guenille à la main. Le seul avantage à son obsession, le Pine-Sol. Quand elle me surprend le nez dans le goulot, elle fait sa Germaine. *Tu vas t'brûler les neurones, finir légume,* patati, patata. Je me parfumerais au Pine-Sol.

Avec mes dents, je déshabille délicatement le biscuit de sa couche chocolatée craquelée jusqu'à ce que la guimauve soit toute nue, et je le croque en plein de petites bouchées.

Pour le troisième Whippet, je fais comme avec le deuxième, mais je mange le biscuit avant de terminer avec la guimauve. Je cale ensuite mon lait froid que je suis à la trace jusque dans mon ventre.

J'ai aussi développé des techniques bien précises pour manger les Kit-Kat, les Ah Caramel!, les revels, les esquimaux, les roulés suisses… Ça énerve ma mère qui n'aime pas qu'on joue avec la nourriture.

— Va rincer ton verre et laver tes mains.

Je reviens dans le salon. Ma mère lâche son tricot et m'ouvre les bras. Je m'assois sur elle et on regarde la télé. J'aime glisser le bout de mon doigt sur l'arête de son ongle de pouce, dans un mouvement continu. Avec la répétition, l'ongle semble tourner étrangement sur lui-même. C'est hypnotisant et relaxant.

Mon petit frère dort et mon grand frère écoute de la musique dans sa chambre. C'est rare d'avoir ma mère pour moi toute seule. Elle est toujours débordée par une chose ou une autre. Je n'ose pas bouger de peur qu'elle voie l'heure. De toute manière, ce n'est pas grave si je me couche tard, demain, dimanche, seule obligation, la messe de onze heures.

Le film de fin de soirée commence. Il est en français, mais pas comme celui qu'on parle, nous. Ça semble drôle, mais j'ai de la difficulté à tout saisir. Un monsieur, qui s'appelle Alvy, fait un voyage dans le temps, jusque dans son enfance. Assis en classe, parmi d'autres élèves à leur pupitre, il affirme avoir été entouré de « petits crétins » à l'école.

Je ne l'aurais pas dit comme ça, mais moi aussi, des fois, j'ai un peu cette impression. Je suis contente parce que, dans quelques mois, je quitterai enfin l'école primaire du village pour le secondaire.

Alvy donne furtivement un bec sur la joue de la petite fille à côté de lui. Elle se lève, dégoûtée. « Baaark ! Il m'a embrassée, le sale ! » La professeure s'énerve parce que c'est la deuxième fois en un mois. « Alvy, tu devrais avoir honte ! À six ans, les petits garçons ne pensent pas aux filles ! »

Moi, si Dominic m'avait embrassée ce soir, ça ne m'aurait pas écœurée, contrairement à ce que mon vomi a pu lui laisser croire. Lundi, c'est sûr, grâce aux commérages de Chantal, toute l'école va être au courant. Je serai ridiculisée pour l'éternité.

Puis Alvy se demande ce que certains de ses camarades seront devenus rendus grands. À tour de rôle, ils se lèvent.

— Je suis président de la plomberie Pinkus et compagnie.

— Moi, je vends des calottes.

— Avant, moi, j'étais accro à l'héro et là je suis accro à la méthadone, c'est extra.

— Moi, je fais dans le cuir.

Ma mère rit. Son rire maladroit ressemble à des pleurs. Elle manque de pratique. Ça ne lui arrive pas souvent, de rire. Elle est toujours trop occupée et préoccupée. On dirait qu'elle craint une catastrophe si elle se laisse aller à rire. Comme si s'amuser, c'était baisser la garde et ouvrir la porte au malheur.

Souvent, elle se demande à voix haute ce qu'elle a *ben pu faire au Bon Dieu*. Elle dit aussi que *quand le Bon Dieu veut nous punir, il réalise nos prières*. J'ai beau réfléchir, je ne suis pas encore certaine de comprendre. Si on envoie une demande à Dieu en priant, pourquoi ça serait une punition qu'il la concrétise ? J'appellerais plutôt ça un miracle, moi.

Quand ma mère rit, même mal, ça me fait du bien à l'intérieur.

Je ne me demande pas ce que je vais devenir plus tard, si je vais « être présidente », « vendre des calottes », « être accro à la méthadone » ou « faire dans le cuir ». Ça ne m'inquiète pas parce que je n'y pense pas. L'avenir est si loin, si loin dans les bras de ma mère qui me berce jusqu'au sommeil.

Ma mère me réveille, le film est fini. Elle dit en essayant de se lever que je suis rendue trop pesante. Avant, on faisait des siestes ensemble, dans son grand lit, par-dessus les couvertures, dos à dos. Le temps s'arrêtait. Ça n'arrive plus.

Mon père n'est pas encore rentré de sa réunion scout.

— Va t'brosser les dents... y est assez tard là...

Quand je passe devant la fenêtre de la cuisine, des lumières clignotantes attirent mon attention. Je m'approche, j'entrouvre le rideau. Une ambulance et une voiture de police. Chez Dominic.

— M'maaan !

Elle me rejoint, affolée par ma voix paniquée.

— Pourquoi on les a pas entendues arriver ? Pourquoi on a pas entendu les sirènes ?

— J'sais pas, les fenêtres sont fermées... Attends, j'vais aller voir ce qui s'passe.

Si des ambulanciers et des policiers sont là, dans notre petite rue style-rond-point-cul-de-sac, où il ne se passe jamais, jamais, jamais rien hors de l'ordinaire, c'est que quelque chose ne va pas, pas du tout.

Les scénarios se bousculent et s'entremêlent. Les gyrophares m'étourdissent et jettent un éclairage macabre sur les maisons endormies. Je me demande pourquoi on ne les éteint pas. Ma mère et des voisins entourent un policier. Rien ne bouge chez Dominic. Mon imagination, habituellement prolifique, ne m'est d'aucun secours.

Après un temps interminable, ma mère revient.

— Pis?

Elle ne lève pas les yeux. Elle reste plantée dans le portique.

— Piiiis? M'man? Maman?

Elle s'approche, m'attire vers elle.

— Il est arrivé quelque chose à Dominic…

— M'man, arrête de niaiser. Dominic, quoi?

— Dominic… Dominic est décédé…

Décédé, décédé, décédé, ça veut dire quoi, décédé?!

Quelque chose s'enfonce dans ma gorge et me force à ravaler mes cris, à ravaler mes larmes. Je reste prostrée devant la fenêtre de la cuisine, jusqu'au départ de l'ambulance, jusqu'au départ de la voiture de police, jusqu'au départ des voisins, jusqu'au retour du calme, jusqu'à ce que cette nuit m'éteigne et me laisse pétrifiée dans le noir.

## ENTRE CHANTAL ET DIEU

Décéder, ça veut dire mourir.

Dominic est décédé.

Dominic est mort.

Ça se répète dans ma tête, comme un tic nerveux.

Dominic est décédé.

Dominic est mort.

Personne n'était encore mort dans ma vie. Jusque-là, j'avais grandi dans l'innocence de la vraie mort.

Mourir, avant Dominic, c'était dans les films.

Mourir, avant Dominic, c'était *pow, pow, t'es mort*, quand on jouait aux cowboys et aux Indiens dans son sous-sol.

Mourir, avant Dominic, c'était tomber par en arrière, fermer les yeux et ne plus bouger quelques secondes avant de me relever comme si de rien n'était, même si, dans ce court laps de temps, je l'avais secrètement imaginé en Prince charmant et moi, en Belle au bois dormant.

Mourir, avant Dominic, ne voulait pas dire disparaître d'un coup, disparaître d'un coup et pour toujours.

Mourir n'était pas un arrachement inattendu et brutal.

Mourir, c'était des jeux d'enfants, c'était des jeux d'acteurs. Ce n'était pas pour vrai, jamais.

Dans les semaines qui ont suivi, je me suis mise à dormir avec une vieille photo en noir et blanc de ma mère. Je la regardais jusqu'à ce que le sommeil avale mes visions d'horreur. Au matin, je la trouvais collée contre ma joue ou tout au bout du lit, perdue dans les couvertures entremêlées.

Avec Dominic, je venais de comprendre que ma mère aussi pouvait m'être arrachée. Tous ceux que j'aime pouvaient m'être arrachés, d'un coup et pour toujours.

Chantal, qui habite à côté des Laporte, affirme qu'une fois les autres rentrés chez eux après la tag barbecue Dominic a voulu montrer à son petit frère, Jo, comment les cowboys pendaient les Indiens. Son père et sa belle-mère n'étaient pas encore revenus de leur sortie. Elle dit aussi que c'est Michel qui a vu Dominic en premier et qu'il a lâché un cri de mort. Il a fini par trouver Jo caché sous le lit de son frère. Chantal n'était pas là, mais elle est certaine de ça.

Je ne sais pas quoi en penser. Est-ce que ça se peut, ça, vouloir montrer comment les cowboys faisaient avec les Indiens, grimper sur le tabouret à roulettes du piano, accrocher une corde à une poutre au plafond du sous-sol, se la passer autour du cou, *tu vois, c'est comme ça*, perdre pied, et mourir à douze ans, devant son petit frère qui ne comprend pas pourquoi les jambes de son grand frère frétillent comme s'il le chatouillait, ça se peut, ça?

Mes parents, eux, m'ont dit de ne pas écouter les autres. Dieu t'avait rappelé à lui. Ça arrivait qu'Il rappelle au ciel des enfants exceptionnels pour leur éviter les tentations et les souffrances du monde. Leur explication n'était pas mieux. J'avais le choix entre Chantal et Dieu.

Ils m'ont interdit d'aller aux funérailles et à l'enterrement, qui a eu lieu longtemps après à cause de la terre gelée. Tout le monde était là, sauf moi. Mes parents souhaitaient que je garde l'image de toi vivant.

J'ai trouvé cette raison débile.

J'ai donc gardé l'image de toi vivant et pas celle de ton corps étendu, immobile dans ton cercueil. C'est comme ça que je n'ai pas vu la vérité de ta mort en face. En moi, un espace infini pour tout imaginer, Dieu, la corde et bien d'autres choses. Pour imaginer que rien n'est vrai. Pour imaginer que c'est moi qui ai mis cette corde autour de ton cou.

Pour que tout ça ait un sens, il faut bien que ce soit la faute de quelqu'un et ce quelqu'un devait sûrement être moi.

À l'heure du dîner, je vais au cimetière. Je ne le dis à personne, pas même à Belinda.

Je me couche où doit être ton cercueil et je pense que j'aimerais ça décéder moi aussi. Pour vrai. Pas juste chanter que je veux «m'étendre sur l'asphalte et me laisser mourir» comme Marie-Jeanne dans *Starmania*.

J'observe les nuages s'étirer en t'imaginant à plat ventre sur celui-là, à me regarder vivre sans toi, bien heureux de me voir souffrir.

L'histoire de mon premier bec, de mon premier bec raté, c'est ça, le vomi, les gyrophares, et tout le reste.

Surtout tout le reste.

Et c'est ça, pour toujours.

Dans ma tête, dans mon corps, dans mon cœur, avec le goût de la mort sur la langue.

## DANS LA VIE COMME AU HOCKEY

J'attends avec impatience les mardis, jeudis et samedis. Ces jours-là sont moins tristes. Dès que j'entends Bruno Gagnon lancer le journal contre la porte, c'est le signal pour me lever.

Je ne sais pas comment fait Bruno. Il se réveille super tôt, charge son chariot avec une montagne de journaux et les distribue, du lundi au samedi, été comme hiver, qu'on crève ou qu'on gèle. À l'école, il se vante sans arrêt de ses économies. À seize ans, il va s'acheter un char et *sacrer son camp de ce trou perdu*.

Ma mère trouve que c'est un *p'tit gars vaillant*. L'intonation de sa voix laisse plutôt entendre son découragement devant la paresse de ses propres enfants. Elle a beau dire, quand je veux faire ma vaillante en l'aidant avec le ménage, elle repasse derrière moi. Ça me fait sentir poche et ça m'enlève le goût de faire des efforts.

Bruno Gagnon vient faire poinçonner sa carte de livreur de journaux une fois par semaine, et ma mère lui donne un pourboire. Ça me gêne de le voir dans le portique, avec ses pantalons trop courts, son poinçon, sa main tendue et les petits ronds de carton à ses pieds, qu'il ne ramasse même pas.

À Noël, elle lui donne un plus gros pourboire, dans une enveloppe, avec une carte Hallmark, qu'elle me demande de choisir à la pharmacie du Mail Montenach. Je reste plantée devant le présentoir. Ça me met mal à l'aise. Je ne voudrais pas que Bruno apprenne que la carte a été choisie par moi et qu'il s'imagine des affaires. Il pense tout croche, Bruno Gagnon. J'opte pour une carte solennelle du genre *Nous vous offrons nos meilleurs vœux en ces temps de réjouissances.* Ma mère changerait d'opinion sur Bruno si elle savait toutes les vulgarités qu'il débite dans une journée.

Les yeux barbouillés de sommeil, je tourne les pages du cahier A de *La Presse* jusqu'à sa photo. Les autres journalistes nous regardent dans les yeux, pas Pierre Foglia, posé presque de dos, cigarette au bec, lunettes rondes sur le nez. Ce n'est pas par esprit de contradiction. C'est dans sa nature de ne rien faire comme les autres.

Il m'étonne toujours. Il écrit sur trois fois rien, et c'est lumineux. Je ne sais pas l'expliquer autrement. Son regard éclaire les choses d'une manière inattendue, et ça me fait un drôle d'effet : je me sens intelligente grâce à lui et je me sens épaisse à cause de lui.

Quand il fait un papier sur le soccer ou le vélo, par exemple, il réussit à garder mon attention même si le soccer et le vélo me laissent franchement indifférente. Le sport, ce n'est pas mon fort, au grand désespoir de mon père, et encore moins le sport à la télé.

Avec mon père, je regarde de temps en temps le baseball des Expos, surtout pour Gary Carter, et le hockey des Canadiens, surtout pour Guy Lafleur. Mais surtout pour lui, mon père, pour être avec lui, passer du temps avec lui. Je préfère quand même le hockey au baseball.

Mon père déteste l'équipe des Nordiques de Québec et l'entraîneur Michel Bergeron, qui s'énerve derrière le banc. À son avis, il va finir par *péter au frette*. Cette année, j'ai cru que c'était au tour de mon père de péter au frette.

Pour la première fois, les Canadiens allaient affronter les Nordiques en demi-finale de division. Mon père m'a bien expliqué l'importance de l'enjeu, en spécifiant que je ne devais manquer ça pour rien au monde. Ce serait *historique*.

Après le premier match au Forum, il m'a assuré que c'était dans la poche. Au deuxième, il n'en revenait pas : les Nordiques avaient gagné sans Peter Stastny. Je me rappelle quand Marcel «James Bond» Aubut et Gilles «Columbo» Léger ont aidé les frères Stastny à s'évader de Tchécoslovaquie. Je n'ai pas tout compris, même si mon père a essayé de me démontrer qu'un pays peut être une prison.

Finalement, tout s'est joué le 13 avril 1982, lors du cinquième match au Forum. Mon père s'est mis à sacrer quand Anton Stastny et Wilfrid Paiement ont compté en première période. Ça s'annonçait mal, mais il ne fallait pas perdre espoir selon lui.

Quand les buts des Canadiens de Mark Napier et de Larry Robinson ont été refusés, c'est là que j'ai cru qu'il allait péter au frette. Je n'avais jamais vu ça. Il gueulait après le ref, *enragé noir,* comme dit ma mère, alors que sa peau de roux tourne plutôt au rouge tomate quand il s'énerve, ce qui n'arrive pas souvent. Il laisse à ma mère le soin de s'énerver pour deux, surtout après nous, ses enfants. Là, il était mauve.

J'avais de l'école le lendemain, mais mon père m'a donné une permission spéciale en disant que voir cette game, c'était comme aller à l'*école de la vie,* que j'allais m'en souvenir toujours, que ce serait dans les *annales* du sport québécois. Je ne connais pas la signification de ce mot, mais je n'aime pas sa parenté de lettres avec «anus». Ça m'écœure.

Mon grand frère est enfermé dans sa chambre au sous-sol. Le hockey, ça ne l'intéresse pas du tout, même pas quand c'est *historique.* Parfois, j'ai l'impression qu'il fuit notre père. Mon petit frère, lui, dort dur.

Encore sur le gros nerf, mon père a fini par se calmer en voyant les joueurs du

Canadien mettre de la pression sur Daniel Bouchard.

— Ça va ben finir par rentrer!

Puis, tow, Mario Tremblay, tow, Robert Picard. Deux buts rapides en troisième période. Mon père capote à l'os. Il me prend dans ses bras, me fait tournoyer à m'en donner la nausée.

— As-tu vu ça? As-tu vu ça? Ah ben maudit! On va les avoir, ma fille!

Tout a foiré en prolongation quand Réal Cloutier et Dale Hunter se sont élancés à deux contre un vers la cage défendue par Rick Wamsley, qui n'a pas réussi à bloquer l'assaut. Le commentateur, qui prenait visiblement pour les Canadiens, n'a pas caché sa déception. Mon père semblait près de l'implosion. J'ai choisi de filer en échappée. Il allait briser la télé, façon de parler.

J'aimerais écrire à Pierre Foglia pour qu'il sache que certaines de ses chroniques font rire mes parents ensemble, l'air complice, ce qui n'arrive autrement jamais. L'un demande à l'autre: «As-tu lu Foglia?» Ils se regardent et laissent échapper un petit rire, qui me laisse penser que je n'ai pas compris certaines subtilités de son texte. Ça ne dure que quelques secondes, et ça me touche de voir mes parents se sourire.

Dans ma lettre, je lui parlerais aussi de Dominic. Foglia aurait aimé Dominic. Il était différent, et Foglia aime les gens différents. Pas ceux qui font exprès d'être spéciaux, repérables de loin, qu'il démasque, facile. Les autres, les rares, qui nous font quelque chose à l'intérieur, sans qu'on comprenne trop comment ni pourquoi.

Je glisse une feuille dans ma nouvelle machine à écrire électrique, mes doigts en suspens sur les touches. Paralysée par la peur de faire rire de moi dans une de ses chroniques, je n'écris rien.

Je dois me rendre à l'évidence : je n'arriverai pas à penser autrement que comme tout le monde, Pierre Foglia ne m'aimera jamais, et Dominic sera mort pour toujours.

# MACARONI KRAFT EXTRA KETCHUP

— Gros cul !

Le *gros cul* avec un point d'exclamation, c'est moi.

Celui qui me traite de gros cul, c'est mon grand frère, Alain.

— Échalas !

Avec ses six pieds deux pouces affreusement maigres, le qualifier d'échalas n'est pas une insulte, même pas un jugement péjoratif, c'est un fait appuyé par une définition dans le dictionnaire : « Échalas : personne grande et maigre… Être grand et maigre comme une échalote. » Sérieux, on dirait qu'il va finir par casser en deux. Un coup de vent, et schlak !

Que lui, par contre, me traite de gros cul chaque fois qu'il me voit, comme s'il avait un trouble obsessif-compulsif en ma présence, c'est insultant. Aucune fille ne rêve d'avoir un gros cul et aucun gars ne rêve d'une fille avec un gros cul. Les intentions de mon frère sont claires. Il veut m'insulter, même si je ne pense pas avoir un gros cul… à moins qu'il ait raison ?

Je me tortille devant le miroir, sans parvenir à voir l'entièreté de mes fesses. Belinda doit me dire ce qu'elle en pense, pour vrai. Elle devra jurer, une main posée sur la Bible, l'autre levée, solennelle : «Jurez-vous de dire la vérité, toute la vérité, juste la vérité? Dites "Je le jure".»

Belinda, c'est ma meilleure amie. Elle habite en face diagonale droite de chez moi. Elle va dans une école anglaise et elle ne fréquente pas la même église que ma famille. Sa maison est entre celle de Carmelle, qui est enceinte de son premier enfant, et celle de Paul et Luce, qui ont deux garçons et une fille, que je garde des fois. Tout le monde connaît tout le monde sur notre rue style-rond-point-cul-de-sac.

Le père de Belinda m'ouvre. Ç'a dû le faire suer d'avoir à se lever. La fin de semaine, il passe ses journées devant la télé, fesses collées sur *son* chesterfield, près de la fenêtre. Personne d'autre n'a le droit de s'y asseoir. C'est une loi non écrite. Son fauteuil porte en permanence les traces de sa présence. Il me fait signe de la tête qu'elle est en bas.

J'envie Belinda. Sa chambre est au sous-sol, comme celle de son frère. La mienne est encore à côté de la cuisine, aussi bien dire *dans* la cuisine. On repassera pour l'intimité et la tranquillité. Mon père est censé m'en construire une dans la cave à temps pour le début de mon secondaire, à l'automne.

Je vais le croire quand je vais le voir. Mon père est le genre à étirer les rénos, au grand désespoir de ma mère, d'ailleurs. Rien n'est jamais vraiment fini chez nous. On vit dans un chantier perpétuel, et c'est souvent hasardeux.

L'année passée, je me suis planté un clou rouillé dans le pied en descendant l'escalier. En me voyant, ma mère était presque soulagée. Mon cri hystérique lui avait fait craindre bien pire. Je ne voyais pas ce qui aurait pu être pire qu'un clou rouillé planté dans le pied. Ç'a été la clinique et la piqûre de tétanos. Mon père a dit que ça m'apprendrait à marcher nu-pieds. Ma mère a soupiré et moi, j'ai pensé qu'il avait juste à se ramasser.

Le père de Belinda me fait peur. Il ne parle pas très bien français et il sort la strap. Je ne suis jamais là quand ça se passe, évidemment, mais je le sais parce que j'ai vu les marques sur le dos de Belinda.

Une fois, alors que je dormais chez elle, on était dans son lit et elle me donnait des frissons en traçant des mots sur mon dos. Elle m'aidait à pratiquer mon anglais avec des mots faciles à deviner. Je n'étais pas très bonne. Les frissons me déconcentraient et je faisais ma niaiseuse par exprès, pour qu'elle recommence. Je le spécifie parce que, parfois, je suis niaiseuse sans faire exprès. C'est toujours dans ces occasions que mon grand frère, l'échalas, demande : « Coudonc ! Fais-tu exprès pour être niaiseuse de même ? »

Quand ç'a été mon tour de tracer des mots, j'ai senti son corps se raidir. Et c'est là que j'ai su, que j'ai vu. Je n'ai rien dit, mais je capotais. Je ne connaissais pas ça, la strap. Moi, ma mère crie comme une folle, et mon père ne dit pas un mot, sauf quand il pète une coche. Elle, quand son père est fâché, il prend sa ceinture. Au moins, il ne se fâche pas souvent. On dirait qu'il évolue en périphérie de la vraie vie, toujours trop concentré sur la télé. J'ai levé le haut de son pyjama et je lui ai donné plein de petits bisous tout doux, avec, dans la gorge, l'envie de pleurer.

Chaque fois qu'on se retrouve dans le noir, collées, je pense à lui avouer ce que j'ai fait le soir où Dominic est décédé. Comme si l'absence de lumière et de bruit faisait remonter à la surface ce que le brouhaha du quotidien me permet de faire taire.

Je ne lui ai pas encore dit pour le vomi. J'ai honte. Je ne lui ai pas encore parlé de ce que j'avais pensé. J'ai peur. Et si elle confirmait que c'était ma faute, que j'avais quelque chose à voir dans sa mort? Les mots se bousculent dans ma tête, font leur chemin jusqu'à mes lèvres et restent là, en suspens.

Il me semble que les choses les plus importantes sont toujours les plus difficiles à dire. Et, quand on arrive à les dire, les mots dits ne donnent pas la mesure de ce qu'on ressent ou rendent trop réel ce qu'on vit. Parler, c'est risqué. Souvent, je préfère tout enfouir bien loin à l'intérieur. Fermer la bouche et ravaler.

On n'en parle jamais, de Dominic.

Personne n'en parle jamais.

Comme s'il n'avait jamais existé.

Et moi, j'y pense tout le temps.

Belinda est en train de dessiner en écoutant encore *Hell Is For Children* de Pat Benatar, enregistré mur à mur sur une cassette. Elle dit que la colère de cette chanteuse lui fait du bien et que ses paroles lui donnent du guts.

— Baisse le son! Écoute-moi, c'est méga, giga, super important, tu vas jurer de dire la vérité, allez, pogne ta Bible…

— Euh… ouais, OK, je jure de dire la vérité, toute la vérité, juste la vérité.

— Est-ce que j'ai un gros cul?

— Ben non!

Sa réponse est sortie trop vite. C'est louche. Pat Benatar s'époumone sur le refrain de la fin en reprenant en boucle de manière enragée *Hell is for children…*

— Belinda! Pèse sur stop, c'est pas possible de s'entendre penser! Tu m'jures que j'ai pas un gros cul?

— Oui, oui, promis, juré, croix d'bois, croix d'fer, si j'mens, j'vais en enfer.

Ça ne me rassure pas. Est-ce que je lui dirais, moi, qu'elle a un gros nez si elle le demandait? Pas sûr. Est-ce important de dire la vérité vraie à sa meilleure amie ou est-ce encore plus important de mentir pour ne pas faire de peine à sa meilleure amie?

— Ouin, OK, j'te crois... On va-tu au dépan?

Avant de partir, on s'est fait un macaroni Kraft extra ketchup. C'est Belinda qui m'a initiée à ce plaisir gastronomique. Dans le pot de tips de sa mère coiffeuse, on a pris des vingt-cinq sous pour les bonbons et des cennes noires pour les trains, avant d'enfourcher notre vélo, direction Dépanneur 8-10, au village, en suivant le chemin de terre sur le bord de la track de chemin de fer.

Il faudrait piquer à travers le cimetière.

## CIGARETTES POPEYE

La poche de mon K-Way déborde de bonbons. J'ai besoin de la retenir pour bien coller mon oreille au rail. J'entends les vibrations d'un train. Belinda et moi, on se dépêche de déposer nos cennes sur la track. Au loin, un train de marchandises. Les meilleurs pour les cennes. Je réalise qu'on ne s'est jamais encore demandé d'où ils arrivent et où ils vont. Ils font partie du décor, bruyants et imposants, jusqu'à ce qu'on les perde de vue, dans un sens ou dans l'autre.

On fait signe au chauffeur de klaxonner. Perché dans sa grosse locomotive, il nous envoie la main et répond bruyamment à notre demande. On sautille excitées et on compte les wagons jusqu'au dernier, avant de courir chercher nos cennes aplaties.

Comme chaque fois, on s'émerveille, et je pense à ma mère qui répète qu'avec des cennes on fait des piasses. Ce n'est pas suffisant qu'elle me gosse en personne, faut qu'elle s'immisce dans mes pensées à tout moment de la journée.

Belinda et moi, on remonte sur notre vélo, direction l'île secrète, derrière chez moi.

Ce mini sous-bois, au milieu du champ, à l'ombre de la raffinerie et de ses monticules de betteraves à sucre, c'est notre île, notre refuge.

Une fois arrivées, on sort la boîte de métal de sa cachette. On y conserve une couverture et des magazines *Filles d'aujourd'hui*. On étale nos bonbons pour choisir ceux qu'on va manger en premier. C'est toujours compliqué. Généralement, on finit par passer de l'un à l'autre, sans ordre précis. Le bonheur de les manger est aussi grand que celui de les choisir.

Depuis que les parents de Dino ont repris le dépanneur, le choix est encore plus vaste : bracelets, colliers, Bazooka, gommes savon, outils, framboises, Fizz, rouge à lèvres, casse-gueule, dents de vampire, vers de terre, oursons, gommes macédoines de fruits, pailles de poudre, bagues diamants, Hubba Bubba en rouleau, jujubes, suces de bébé, cigarettes Popeye, Life Savers…

Son dépanneur est une caverne d'Ali Baba. Quand on pousse la porte, la clochette avertit monsieur Nino, qui, dos voûté, sort alors du back-store. Le contraste entre la lumière du jour et la noirceur du commerce accentue mon impression d'entrer dans un autre monde, de passer une frontière imaginaire entre la vraie vie et le paradis. La pièce sombre s'illumine. Les présentoirs de bonbons de toutes les formes, de toutes les couleurs nous lancent des appels et des anges descendent du ciel.

Ça nous prend une éternité à nous décider. Bien qu'on finisse toujours par choisir les mêmes, monsieur Nino ne s'impatiente jamais.

J'aime tous les bonbons, mais j'adore :

- les gommes Bazooka, pour la petite bande dessinée en anglais que Belinda me traduit si je ne comprends pas la joke.
- les casse-gueule, pour les différentes textures et la gomme sous la couche finale encore épaisse.
- les Pop Rocks, pour les pépites pétillantes – qui, si mélangées avec du Coke, peuvent faire exploser l'estomac.
- les Fun Dip, pour les trois saveurs de poudre et le bâton Lik-a-Stix.
- les Fizz, pour le milieu mousseux, que je ne mange plus depuis que j'ai failli mourir étouffée.

L'année dernière, pour la fête de ma mère, j'ai demandé à monsieur Nino s'il y avait moyen d'acheter une boîte de pipes à la réglisse noire. Elle les adore. Il m'en a commandé une que j'ai payée avec mon argent de gardiennage. J'étais bien fière de mon coup quand ma mère a déballé son cadeau. C'était franchement mieux que celui de cette année : des couteaux du catalogue Distribution aux consommateurs qui ne coupent pas.

Après le dep, j'ai demandé à Belinda de m'attendre à la petite cabane du concierge au cimetière, juste derrière la grosse croix blanche.

Je suis allée voir Dominic. J'ai déposé des cigarettes Popeye près de sa pierre tombale. Ses bonbons préférés. Quand il en glissait une entre ses lèvres, il avait l'air d'une vedette de cinéma. Ses gestes avaient une grâce nonchalante irrésistible. Il prenait une puff, la Popeye coincée entre son pouce et son index, et soufflait vers moi. Je riais de gêne. Si un gars envoie la fumée de sa cigarette dans le visage d'une fille, ça veut dire qu'il l'aime ou qu'il veut coucher avec la fille, je ne sais plus trop. Peut-être que ça ne comptait pas, vu que c'était une cigarette Popeye.

Après plusieurs minutes, j'ai trouvé le courage de lui demander s'il me pardonnait. Je n'ai pas attendu sa réponse. J'avais trop peur. J'ai pédalé à toute vitesse jusqu'à Belinda, et on a pris la direction de la track avec nos cennes et nos bonbons.

— Hé! Julie! Watch ça!

Elle me montre une page dans un *Filles d'aujourd'hui* en faisant une balloune double avec sa Hubba Bubba. Moi, j'en suis encore à l'étape de pratiquer devant mon miroir.

— On donne un truc pour s'débarrasser de nos frickles, faut s'frotter la face avec du jus de citron.

Belinda et moi, on a des taches de rousseur qu'on déteste. On se fait niaiser chacune de notre bord. À mon école, la gang de caves à Philippe Coutu s'amuse à répéter que je me suis fait « chier dans face par des mouches » ou que j'ai « bronzé à travers un moustiquaire ». Ça, c'est quand on ne m'achale pas avec mon nom de famille et ses nombreux dérivés débiles.

— Cool, on essaiera ça ! Viens-t'en, y est l'heure de rentrer avant que nos parents capotent.

— J'ai un peu mal au cœur…

— Ça va passer… Tiens, dis-moi c'est quoi le mot le plus long du dictionnaire ?

— Tu me l'as déjà dit : anticonstitution-nellement.

— Non, c'est pas ça, c'est élastique !

— J'ai trop mal au cœur pour rire…

— Bon, tu m'donnes pas l'choix…

J'entame avec tout mon sérieux la chorégraphie de la comédie musicale *Pied de poule* en chantant. *Danse, danse, danse, danse, pense pus ! Danse, danse, danse, danse, pense pus ! En signe de détresse on branle un peu les fesses, à gauche, à droite… Ouh ! C'est un S.O.S.*

— Arrête, c'est worst…

— Bon, tu pourras pas dire que j'ai pas essayé. Come on, bouge un peu tes fesses à gauche, à droite, pis avance…

En chemin, je m'inquiète de voir le contour du visage de Dominic devenir flou. À mesure que les mois passent, la distance grandit entre nous et je m'accroche comme une désespérée à chaque ficelle qui me relie encore à lui.

Malgré ma honte et ma culpabilité, le cœur écartelé entre la vie et la mort.

# FAVEUR

J'haïs la messe. C'est dull à mort.

Chaque dimanche matin, on s'entasse dans l'auto, mes parents, mes deux frères et moi, pour subir ce supplice hebdomadaire. Je me rappelle m'être déjà réfugiée derrière le La-Z-Boy, croyant vraiment que le La-Z-Boy allait me sauver. Je pleurais, sans jouer la comédie. Mon père est resté insensible à ma crise de nerfs. Je n'ai pas échappé à la torture. Il ne tolère aucune excuse, la messe, c'est sacré.

Plus jeune, j'ai chanté dans la chorale de l'église à Noël. Le prêtre faisait son show en interprétant *Minuit, chrétiens* à pleins poumons. Il pouvait bien se pavaner, sa voix n'était pas pire du tout, même qu'il me donnait des frissons avec la fameuse note haute, que tout le monde attend avec une malsaine curiosité pour voir si l'interprète va se planter.

Quand il se mesurait à ce cantique casse-cou avec une attitude de coq trop fier, j'étais mal à l'aise de le voir sortir de son rôle de prêtre plus catholique que le pape, en se prenant pour une star d'un soir. Je ne pense pas qu'être vaniteux est dans sa description de tâche. Quelqu'un devrait lui rappeler que l'humilité et la modestie font partie des vertus catholiques et la tempérance, des vertus cardinales.

J'ai appris ça pendant ma préparation à la confirmation l'année passée, cette fameuse «profession de foi», que mon père voulait donc que je prenne au sérieux, où il m'a fallu affirmer, avec tout mon cœur, ma profonde croyance en Dieu, pour ensuite me faire remplir de l'Esprit saint. À mon avis, j'ai plutôt fait le plein de bullshit. En secondaire trois, je vais pouvoir enfin choisir, sans la permission de mes parents, le cours de morale au lieu de relish. J'ai tellement hâte, même si j'appréhende la réaction de mon père. Il serait bien capable de renier sa fille unique.

Pendant le sermon interminable du prêtre, je rêvasse en regardant les peintures et les vitraux d'Ozias Leduc, beaux à pleurer. Ozias Leduc, avec Borduas et Jordi Bonet, c'est la fierté du village. Ma future polyvalente porte son nom. On a aussi nommé une rue en son honneur.

J'aime également observer Jésus sur sa croix, juste à gauche de l'autel. Sa nudité, son corps musclé, les clous dans ses paumes et ses pieds exercent sur moi une fascination troublante, tandis que son air calme et serein me laisse perplexe.

Jusqu'à maintenant, j'ai fait quelques tentatives pour accueillir la douleur avec autant de sérénité, comme la fois du clou dans le pied, toujours sans grand succès. Que lui ait supporté ainsi la crucifixion reste un mystère impénétrable.

Je voue un culte à la série *Jésus de Nazareth* de Franco Zeffirelli, que je regarde chaque année à Pâques, avec le trop beau Robert Powell et la musique poignante de Maurice Jarre. C'est quand même étrange de voir Christopher Plummer dans le rôle du faible et pervers Hérode, qui est prêt à trancher la tête du prophète Jean le Baptiste pour coucher avec sa propre fille, alors qu'il me fait fondre en tombant amoureux de Fräulein Maria dans *La mélodie du bonheur*, que je connais par cœur.

J'espère toujours un scandale pendant la messe. Rien de grave, juste quelqu'un qui lâche un gros pet inoffensif ou quelque chose du genre. Ça n'arrive jamais. C'est vraiment straight par chez nous.

Vers la fin, c'est le temps de se mettre en file pour l'hostie. Certaines personnes, au lieu de tendre leurs mains l'une par-dessus l'autre, en formant une coupe, ouvrent la bouche. Ça m'écœure tellement. C'est indécent. Bizarrement, c'est juste des bonnes femmes qui font ça, comme si elles voulaient émoustiller le prêtre, bouche ouverte, langue sortie. Elles semblent toutes vertueuses avec leur beau linge du dimanche, mais, selon moi, c'est louche leur affaire.

En un sens, je les comprends. Notre prêtre est jeune et cute. Elles n'ont pas vraiment de chance, paraît que c'est une tapette. C'est ce que croit le père de Bruno Gagnon. Je l'ai entendu le dire à madame Gagnon. Ça n'avait pas l'air de le déranger que je sois là. Je sais ce que veut dire « tapette », mais j'ignore comment deux hommes font *ça* ensemble.

De toute manière, peu importe, les prêtres sont soumis au vœu de chasteté. Ils ne pourront jamais faire le sexe. Leur chat est mort, aux madames, mais elles s'offrent quand même, bouche ouverte, langue sortie, yeux fermés. Je me demande si ça l'écœure, lui aussi.

Avant que ce soit mon tour, j'observe les autres revenir à leur place. Ils ont tous l'air sérieux, tête baissée, mains jointes, genre vraiment dedans, mais moi je parie qu'ils sont incommodés par l'hostie qui colle au palais. Mémère, ma grand-mère, la mère de ma mère, qui habite très, très loin, me donne des retailles d'hostie. Elle a des contacts à son église.

Le *Notre Père* est entamé en chœur. C'est le signal de la fin. *Thank God*, comme dirait Belinda. Je fais mine de réciter la prière. Mes lèvres forment les mots, mais aucun son ne sort de ma bouche. Je n'ai pas envie de mêler ma voix à celles du troupeau docile.

Je ne suis pas sûre de croire en Dieu et en toutes ces affaires-là, mais parfois je ne peux pas m'empêcher de prier. Agenouillée, doigts entrelacés, pour demander des faveurs à Dieu. Faire un miracle, reculer le temps, tout effacer.

Je n'ai pas beaucoup d'espoir. S'il n'a pas sauvé Jésus, son propre fils, mort crucifié, je ne vois pas pourquoi il sauverait Dominic, mon ami. Mort pendu.

## DIANE DUFRESNE

Mon premier show. Ma première fois en ville. Pour souligner la fin de mon école primaire et mon anniversaire de douze ans qui approchent, mon père m'amène voir le spectacle *Dame de cœur* de Diane Dufresne au Forum.

Jusque-là, j'ai vu Montréal du haut de l'autoroute Métropolitaine, quand on va en famille chez ma grand-mère, qui habite très, très loin. Ça arrive généralement à l'été, quand on m'y reconduit pour les vacances, et à l'Action de grâce, en même temps que la migration des outardes dans le Sud.

Chaque fois qu'on se prépare au voyage, c'est compliqué. Mon père capote parce que ma mère apporte trop de stock, et ma mère boude parce que mon père capote. Un jour, il a même refusé de partir tant qu'elle ne ferait pas un tri. Elle a crié que *voir sa mère deux fois par année, c'est ça qu'ça fait, ben du stock!*

Ma mère crie souvent après ses enfants, mais se la ferme tout aussi souvent quand il s'agit de mon père. J'imagine que là, c'était trop pour elle. Ç'a duré tellement longtemps leur affaire que j'ai fini par aller voir Belinda. Je ne me rappelle plus qui a gagné.

On prend le tunnel La Fontaine pour aller chez Mémère. Mon père jure que le tunnel passe sous le Saint-Laurent. C'est dur à croire. J'ai beau regarder, m'étirer le cou, je ne vois pas de fleuve. En chemin, je pogne toujours la nausée. Ma mère dit que c'est parce que je lis; j'ai le mal des transports, comme elle. La fumée des Du Maurier de mon père n'arrange rien.

Quand on commence à sentir la puanteur de l'usine de pâtes et papiers de Thurso, on n'est pas loin. L'odeur dégoûtante qui s'échappe des cheminées empire mon cas. Mon père me débarque à quelques coins de rue de chez ma grand-mère pour que je prenne l'air. Je suis pas mal blême, et il ne veut pas ramasser du vomi dans son auto. La famille me suit en voiture.

Aller chez Mémère, c'est une fête. Elle cache des bonbons partout, elle a plein de sortes de biscuits dans des boîtes de métal et des figurines de chiens, de chats, d'enfants, d'oiseaux entre les feuilles de ses nombreuses plantes. Matante Fafan est infirmière et habite avec elle. C'est la vieille fille de la famille. Elle n'a jamais été mariée. Je la trouve souvent bête. Elle a un air sévère naturel. Je me demande si elle est fine avec ses patients. Bruno, digne fils de son père, parierait sûrement qu'elle est *mal baisée*. C'est toujours ce qu'il dit des airs bêtes.

Je mets du temps à m'endormir, au début. Le bruit des moteurs et la lumière des phares me gardent réveillée. Chez nous, les seules voitures qui passent appartiennent à ceux qui habitent notre rue style-rond-point-cul-de-sac. Faut être perdu rare pour se ramasser dans notre quartier. La maison de Mémère est juste à côté de l'hôpital. Ça en fait, du trafic, le monde malade.

Mémère me donne parfois des sous pour aller au dépanneur toute seule. Je n'ai même pas à changer de trottoir. Je sors, je tourne à gauche et, quelques pas plus loin, c'est là, dans la maison de madame Laurin, juste au coin de James et MacLaren. J'aime y aller pour les bonbons et pour sa chienne Fifine, qu'elle me laisse flatter. Chez moi, ça prend un vélo, une voiture ou une longue, longue, longue marche pour s'y rendre.

Ma grand-mère a un serin dans une cage, qu'il faut couvrir la nuit, sinon il réveillerait la maisonnée aux premières lueurs de la journée. Ma tante m'a raconté que la famille de ma grand-mère a toujours eu un serin en cage. Les tantes, les cousines, tout le monde. Ç'a l'air qu'ils suspendaient une cage vide sur la corde à linge, avec un système patenté pour la porte, et ils attendaient qu'un serin s'y aventure pour l'enfermer. Je ne comprends pas comment c'est possible parce que je n'ai encore jamais vu de serin en liberté.

Mémère a aussi un accent traînant et de drôles d'expressions comme *tumbler* (verre), *canard* (bouilloire), *pantry* (comptoir), *élévateur* (ascenseur), *escalateur* (escalier roulant), *champlure* (robinet), *sink* (évier)…

C'est le premier été où je n'irai pas passer quelques semaines chez Mémère. Il paraît que je suis assez grande maintenant pour m'arranger avec mes frères, Belinda et les autres mères de la rue qui ne travaillent pas.

Pour se rendre au Forum, mon père emprunte Jacques-Cartier. C'est ma première fois sur ce pont. Je n'en reviens pas de la hauteur des buildings du centre-ville. Ils me font penser à ceux de cent étages de la chanson *Ce soir on danse à Naziland* dans *Starmania*. Mon père travaille à Montréal, et ça ne l'impressionne plus. Il prend le train matin et soir pour éviter le trafic. En plus, c'est gratuit pour lui, à cause de son emploi à la compagnie de trains.

Il m'invite à souper chez Da Giovanni. C'est une vraie sortie. On choisit le combo pizza-spaghetti. Il dit qu'on se paye la traite, que ce soir, c'est spécial, et qu'il laisse faire sa diète.

Je ne le trouve pas gros, mon père. De temps en temps, il se met en tête de perdre quelques livres. Il suit un régime liquide en ce moment. Le matin, l'odeur de ses protéines en sachet me lève le cœur. Il verse le contenu du sachet dans une grande tasse, qu'il mélange avec de l'eau bouillante. C'est juste ça, son déjeuner. Ça me déprime, son affaire. Moi, le déjeuner, c'est mon repas préféré de la journée pour les céréales Cap'n Crunch et les toasts au beurre et au Nutella.

Diane Dufresne, c'est mon idole. Elle a joué le rôle de Stella Spotlight dans *Starmania*, mais elle est bien plus que ça. Je ne sais pas l'expliquer. Je sens que personne n'a jamais vu une femme comme elle. Ça ne se résume pas à ses costumes de scène complètement flyés ou à ses boules à l'air.

Dans sa voix, dans sa façon de chanter et de bouger, elle est étrange, extravagante, provocante, intense, théâtrale, mélancolique, révoltée. Quelque chose de sombre m'attire dans ses chansons, que je connais par cœur.

Je voudrais être à son image, forte, libre, et capable de crier au monde entier comment je me sens, avec autant d'intensité et de sincérité.

Les spectateurs sont déguisés et maquillés. À son arrivée sur scène dans sa robe miroir, tout le monde est hystérique. J'ai mal aux oreilles tellement ça crie. Je n'en reviens pas de la voir et de l'entendre en vrai. Mon corps est entièrement habité par sa voix et par l'énergie survoltée des milliers de fans. Je vibre de l'intérieur. C'est un super show et une super soirée avec mon père.

Dans l'auto, sur le chemin du retour, il m'annonce qu'il finira le sous-sol, percera des fenêtres, construira une nouvelle salle de bain… J'aurai enfin ma chambre en bas.

Dans quelques jours, ce sera ma fête, le début de l'été, la fin de l'école primaire et la Saint-Jean-Baptiste. Je vais avoir douze ans, comme dans la chanson de Diane Dufresne, *J'ai douze ans*, sauf que moi, je n'ai pas l'impression de devoir me *dépêcher de vivre ma vie*, je n'ai pas conscience de *la misère sur la terre* – même si ma mère m'oblige à finir mon assiette pour les Biafrais, je ne vois pas ce que ça change dans leur vie que la bouffe soit dans la poubelle plutôt que dans mon ventre –, je ne me demande pas comment je vais faire pour *gagner ma vie* et je ne pense pas à *prendre la pilule* ni un *amant*, pour ce que ça veut dire.

II

# ROUGE SANG

Je crève.

Belinda ne bouge pas, indifférente, dirait-on, à la chaleur suffocante. Seul mon orgueil me permet de continuer de crever en silence. Notre activité principale de l'été : écouter de la musique et nous faire bronzer, pour avoir un beau tan à la rentrée.

Les gouttes de sueur perlent sur mon corps abondamment huilé de Crisco. On a l'air de deux blés d'Inde extra beurre. Je flanche :

— C'est pas l'temps de changer de bord, là ?

Elle regarde sa montre sur sa serviette.

— Suck it up, faut souffrir pour être belle.

*Faut souffrir pour être belle, faut souffrir pour être belle,* mais il y a toujours bien des maudites limites à la torture. On pourrait faire cuire un œuf sur mon ventre.

La radio est branchée à la prise extérieure de sa maison avec la rallonge jaune de mon père. Zéro manuel, à part pour le maniement de la ceinture, le père de Belinda n'a pas de marteau ni de rallonge. Selon mon père, une maison sans outils, ce n'est pas normal.

Marvin Gaye chante *Sexual Healing*. Chaque fois que j'entends cette chanson, ma curiosité est confrontée à mon incompréhension. Je connais bien le mot « sexe » et je sais ce que veut dire « healing », mais j'ignore la signification de « sexual healing ». Belinda jure qu'elle ne comprend pas non plus. Pourtant, elle parle l'anglais.

Pendant que je continue de souffrir pour être belle, ou, à tout le moins, pour être bronzée, je repense à la fin de l'école. À quoi je m'attendais, je ne sais pas, mais c'était plutôt ordinaire. Ce n'est pas la première fois que je remarque ça : l'attente d'une chose est souvent meilleure que la chose elle-même. Chaque année, j'ai hâte à ma fête, à Noël, à l'Halloween, à Pâques, et, la plupart du temps, c'est décevant.

Mardi, jour de mon anniversaire, par exemple, je me suis précipitée à la porte quand j'ai entendu Bruno livrer le journal. J'ai feuilleté toutes les pages de tous les cahiers, et Foglia n'y était pas. Au cours de la journée, j'ai attendu que ma mère, mon père et mes frères me souhaitent bonne fête. Ils ont tous oublié !

Prise de remords et dans le jus du souper, ma mère m'a fait un gâteau Duncan Hines en catastrophe, sans même m'offrir le privilège de lécher les batteurs et le bol. Elle a allumé un trognon de chandelle trouvé dans le tiroir à débarras en disant que, dans le fond, c'est elle qui devrait être fêtée pour m'avoir mise au monde. Rien pour arranger ma déprime. J'ai soufflé la chandelle en souhaitant que mes douze ans ne soit pas à l'image de cette journée ratée.

Je ne sais pas pourquoi, mais, chaque année, je souhaite toujours quelque chose d'extraordinaire à mon anniversaire. Ce jour-là, je m'imagine être le centre d'attention et aimer l'être, contrairement à d'habitude. Je reçois plein d'amour, de marques d'affection et de super cadeaux. La réalité peut juste être décevante.

Cette fois, mon espoir était décuplé par le fait que j'allais avoir douze ans et que je finissais le primaire et commencerais le secondaire, deux étapes importantes de ma vie. Entre Foglia qui n'était pas là, ma famille qui m'avait oubliée, et mes seins qui n'avaient pas poussé par magie en une nuit, c'était encore plus poche que poche.

La seule exception à ma théorie de l'attente-d'une-chose-est-souvent-meilleure-que-la-chose-elle-même : le spectacle de Diane Dufresne, qui était au-delà de toutes mes attentes. À partir du moment où mon père m'avait annoncé mon cadeau, j'y avais rêvé jour et nuit. Mon père avait dit que ce spectacle ne serait pas comparable à ceux vus à la télé ou au village. Celui-là serait grandiose.

Il avait mis ça big, et c'était encore plus big que ça.

Mes expectatives étaient élevées pour la fin de mon primaire. J'ai fait ma maternelle à Sacré-Cœur, à un coin de rue plus bas que mon école actuelle, juste à côté du Dépanneur 8-10 et de l'église, ma première et ma deuxième année à Desrochers, tout près du couvent, et le reste, ici, à Hertel, rue Sainte-Anne. J'avais fait le tour.

Je n'étais pas la seule à avoir hâte. Les élèves fatigants l'étaient encore plus, et ceux qui ne l'étaient pas le devenaient, au grand désespoir de madame Francine, qui maîtrisait de moins en moins sa classe au fil des semaines.

Quand la cloche de la dernière journée a sonné, tout le monde a crié. Ça se bousculait dans le corridor. La prof avait beau nous demander de sortir calmement, les cris enterraient sa voix. Dans la cour, certains enfants pleuraient, sans doute tristes de quitter leurs amis, mais la plupart étaient juste fous comme des balais.

En revenant à la maison à pied avec Marie en longeant la track, rien n'était en fin de compte différent. J'étais juste contente d'être en congé. Tout était pareil à l'intérieur de moi. La fin de l'école et ma fête ne m'avaient pas subitement transformée. J'étais la même fille, heureuse d'avoir terminé son primaire et triste d'avoir perdu son ami. Peut-être que ma mère a raison : pour éviter d'être déçu, aussi bien s'attendre au pire.

— OK, time's up ! Turn over…

On se retourne et on détache notre top de bikini. Belinda a juste deux ans de plus que moi, mais elle est déjà pas pire équipée. Je profite de ses yeux fermés pour observer la rondeur de son sein écrasé par le poids de son corps.

Mon cas est désespérant. Je n'ai rien, et mes bouts me font mal. C'est peut-être signe que ça pousse. J'espère que mon soutien-gorge va se remplir, au moins pour le début du secondaire. Je m'inquiète à l'idée d'être la seule sans nénés. La mode n'est pas aux gros culs ni aux gros totons, mais pas aux fesses et aux seins plats non plus.

Je porte une brassière depuis l'année dernière. Ça me gênait qu'on voie mes bouts enflés pointer à travers mon chandail. Évidemment, je me suis fait niaiser. « Ha, ha, ha ! T'as rien pour le remplir ! T'es plate comme une crêpe ! Ha, ha, ha ! On dirait une planche à repasser ! » Quand on a le dos tourné, les gars pincent l'attache de notre brassière, qu'ils étirent comme un élastique avant de la lâcher d'un coup sec. Une preuve de plus que les gars sont vraiment caves.

L'autre chose qui m'inquiète, c'est de commencer à avoir mes règles à l'école. J'ai entendu l'histoire de la fille qui quitte son pupitre sans se rendre compte que son pantalon et sa chaise sont tachés de sang. Je l'imagine habillée en blanc. Les autres élèves de la classe la montrent en riant.

Ça me rappelle la scène traumatisante du film *Carrie*. La fille prend sa douche après le cours d'éducation physique. Elle se lave et voit sur ses mains du sang qui provient d'entre ses jambes. Comme sa mère ne lui a jamais parlé de ça, elle croit mourir au bout de son sang. Elle se précipite sur les filles dans le vestiaire en les suppliant de l'aider. Elle a l'air d'une folle. Les filles, elles, qui comprennent tout, lui lancent en riant une pluie de tampons et de serviettes sanitaires.

Belinda a commencé à être menstruée – *malade*, selon son expression – en cinquième année. Une aura d'étrangeté flotte autour de celles qui ont leurs règles anormalement jeunes. Ça finit toujours par se savoir, et les gars traitent ces filles-là de cochonnes. Je ne vois pas trop le rapport. Belinda, c'est mon amie, elle n'est pas une cochonne, mais c'est bizarre quand même.

Elle m'assure que ça ne se passe pas comme dans mon imagination ni comme dans le film. Belinda n'aime pas parler de ça.

Ce n'est pas le genre de discussions qu'on a, ma mère et moi. Quand je suis assise sur le bol de toilette à la maison, j'en profite pour fouiller dans l'armoire. Je suis toujours intriguée par l'espèce de ceinture qu'elle met avec sa grosse serviette sanitaire. Je ne peux pas croire que je vais devoir porter cette affaire qui ressemble à un instrument de torture. En regardant les rasoirs, je me demande si je vais pouvoir commencer à me raser cet été. À mon avis, c'est le temps, mais ma mère n'est pas d'accord. Ce n'est pas possible qu'elle gère mes poils. Il y a toujours bien des limites.

— Belinda, quand t'es malade pis que tu vas aux toilettes, est-ce que tu dois te dépêcher de remonter tes culottes après t'être essuyée ?

— De quoi tu parles ?

— J'veux dire, est-ce que ça coule comme une champlure, les menstruations ?

— My God ! Ben non ! Arrête de t'énerver avec ça pis profites-en pendant que tu l'es pas encore… C'est juste shitty… Viens dans piscine, j'en peux pus !

— Attends-moi ! Est-ce qu'on peut s'baigner dans ce temps-là ?

Elle plonge sans répondre, et j'imagine l'eau virer rouge.

## RUE PIEDMONT

L'été, pendant les vacances, la rue style-rond-point-cul-de-sac nous appartient.

Tous les parents, ou presque, partent travailler. Luce, elle, reste à la maison. Elle s'occupe de ses trois enfants, Louis-Philippe, Antoine, et la petite dernière, Marie-Hélène.

Carmelle n'est pas encore mère, mais elle doit bientôt accoucher. Elle a choisi de faire ça à la maison. En plus d'être nouvelle sur la rue, elle a des idées, comme celle-là, qui étonnent ma mère. Évidemment, elle se garde de lui dire que c'est bizarre et pas mal grano. « La vie est assez souffrante de même… pis Carmelle va être loin en titi de l'hôpital si ça vire mal… Ça paraît que c'est son premier ! »

Carmelle commence à devenir amie avec ma mère et Luce. S'il y en a une qui peut l'aider à se familiariser avec le quartier, c'est bien Luce, enjouée, ricaneuse, passionnée de musique, de photo, de cinéma, de dessin, de livres, avec d'immenses yeux bleus décorés de grands cils et de pommettes hautes et rouges d'excitation pour une chose ou pour une autre. Elle a des airs de Brigitte Bardot.

Luce s'est fait opérer ses trop gros seins, qui lui donnaient des maux de dos et faisaient s'enfoncer ses bretelles de brassière dans la peau de ses épaules frêles. Un jour, elle avait de gros seins, quelques jours plus tard, elle avait de moins gros seins. Je ne pouvais pas m'empêcher de regarder sa poitrine pour essayer de mesurer la différence. Moi, j'étais loin d'avoir son problème. J'aurais aimé qu'elle puisse m'en donner un peu.

La maison de Luce est un joyeux bordel, proportionnel au nombre des passions qu'elle partage avec son mari, Paul, pour qui le monde se divise en deux camps, celui des Beatles et celui des Rolling Stones. Lui, son choix va au Fab Four. Moi, je les trouve trop fleur bleue. Je préfère le côté un peu plus sale des Stones, même si je ne trippe pas tant sur l'un ou sur l'autre de ces groupes.

Chez eux, photos, livres, magazines, disques, peintures partout. C'est empilé, enchevêtré, vivant. Les piles menacent de s'écrouler. Le ménage, ils s'en foutent. Ils n'ont pas de temps pour ça, le reste est bien plus passionnant. Mes parents, eux, ne font rien ensemble.

Ma mère, ça la décourage. Elle ne comprend pas comment Luce fait pour vivre là-dedans avec trois enfants. En plus, ce n'est pas comme si elle n'avait pas le temps de ramasser, elle ne travaille même pas. Quand je garde, ça me fait rêver au jour où je pourrai m'acheter plein de disques et de livres et me laisser traîner si ça me chante, sans entendre ma mère chialer.

Carmelle est tout le contraire de Luce, minuscule, douce, discrète. Elle parle toujours tout bas et ne rit jamais fort. Seule touche d'extravagance, involontaire d'ailleurs, sa grosse touffe de cheveux frisés bruns indomptables.

La maison de Carmelle est une oasis de tranquillité, à l'abri des bruits extérieurs. Les seuls sons qui brisent le silence sont le roucoulement de son couple de tourterelles, le ronronnement de son chat, et les soubresauts de son frigo.

Ses meubles sont vraiment différents des nôtres. Elle m'a expliqué qu'ils proviennent de chez un antiquaire. Ils sont encore plus vieux que ma grand-mère. Chacun a son utilité, la table à manger, les chaises, le divan, le vaisselier… Rien n'est décoratif. C'est à la fois austère et chaleureux. Carmelle et sa maison m'apaisent l'intérieur. Chez moi, c'est brun, sans charme et bruyant.

Notre rue style-rond-point-cul-de-sac est isolée, comme si on avait érigé un quartier au milieu de nulle part. Derrière chez nous, c'est le champ et la raffinerie. À gauche, la track et le boisé. Derrière chez Carmelle, juste après la maison de Maurice, le terrain vague et le parc. Une montagne surplombe tout ça, du côté du boisé. La rivière, on ne la voit pas, mais elle est là, un peu plus loin, à moins de dix minutes à pied, en bas de la côte.

Ma mère se plaint du fait que les riches habitent le flanc de la montagne avec les pommiers en fleurs et la belle vue sur la vallée. À nous, en bas, de nous accommoder de la raffinerie puante et des trains bruyants.

Dans sa voix, j'entends la honte de sa maison pas finie et de je ne sais quoi d'autre. Elle m'avise de ne pas me faire de nouvelles amies qui viennent d'en haut, au secondaire, et que, si je m'en fais, *elles ne seront jamais invitées ici, c'est-tu clair ?*

Parfois, j'essaie de regarder cette rue à travers ses yeux. Je vois bien qu'on a fait pousser des maisons d'aluminium blanc à peu près identiques dans un champ abandonné. Je vois bien les terrains nus où essaient de grandir quelques arbres chétifs. Je vois bien le gazon qui peine à s'accrocher à la terre sèche. Je vois bien la cheminée inquiétante de la raffinerie, je vois bien les verres du vaisselier trembler au passage d'un train.

Je vois bien tout ça, mais pour moi, ici, c'est le paradis, c'est la liberté, et c'est beau même lorsque l'été cède ses droits à la dureté grise et désolante de novembre. Je suis attachée à ce paysage balafré, qui tente de déguiser ses airs de fin du monde sous une volonté bucolique.

Ça n'a pas été facile pour la famille de Belinda de s'intégrer dans cette rue style-rond-point-cul-de-sac isolée. Elle ne parle pas la même langue, ne pratique pas la même religion, ne défend pas les mêmes idées politiques.

Ici, c'est vendu au Parti québécois et à René Lévesque. Mes parents, comme à peu près tous les autres voisins, ont voté «Oui» au référendum de 1980, c'est sûr, même s'ils disent qu'un vote, c'est secret. On ne discute pas de ça, comme on ne discute pas d'argent. En fait, chez nous, on ne discute pas, point.

Leur vote a été facile à deviner. Je n'ai pas eu à poser une seule question devant mes parents qui écoutaient le discours de René Lévesque à la télé, après sa défaite. Les gens l'applaudissaient et chantaient *Gens du pays* de Gilles Vigneault. J'avais le motton quand il a dit : «Si je vous comprends bien, vous êtes en train de dire à la prochaine fois.» Même Belinda en aurait été remuée si elle l'avait regardé.

Je n'avais encore jamais vu mes parents émus. C'était étrange. Ça fait deux ans, et la sensation d'étrangeté persiste quand je repense à cette scène.

Le 24 juin, à la Saint-Jean, tout le monde apporte sa table à pique-nique et son hibachi dans la rue. Le party dure jusqu'aux petites heures. Le père de Belinda reste devant sa télé. Sa mère vient faire un tour. À la fête du Canada, on ne célèbre pas.

L'an passé, j'étais responsable de dessiner des fleurs de lys sur l'asphalte. Dévouée à la tâche, j'ai mis trop de temps à entendre les cris affolés de Cocotte, ma perruche. C'était jour de fête pour elle aussi, et j'avais décidé de lui faire prendre l'air en mettant sa cage dans la cour. Le chat de Carmelle a voulu lui faire la passe. Cocotte pissait le sang. Jamais je n'aurais cru ça possible, autant de sang pour une si petite chose. Elle a survécu, un bout de patte en moins.

Ma mère est surtout amie avec Luce et Carmelle. Elle l'était aussi avec Lorraine, à côté, mais elle a déménagé sur une terre avec son mari et leurs trois filles. J'étais super amie avec Brigitte, la plus jeune. Ma mère n'aurait jamais fait une chose pareille, vivre sur une terre. Ils ne savent pas dans quoi ils s'embarquent, à son avis. Elle plaint Lorraine. Ça ne m'étonne pas.

J'espère aller voir Brigitte un jour. Elle a un cheval et des minous qui chassent les souris dans l'écurie. C'est ce qu'elle m'a écrit dans sa lettre. J'adore recevoir des lettres. J'ai même une correspondante en Martinique dont j'attends des nouvelles avec impatience chaque mois. Son papier est bleu poudre et sa calligraphie, parfaite. Ça a l'air aussi beau qu'à Hawaï et qu'aux îles Fidji, chez elle. Les chances que je la visite un jour sont minces. Ça coûte trop cher. Personne de ma famille n'a jamais pris l'avion.

Le mari de Lorraine était le seul sur la rue à conduire une auto manuelle. Trois pédales à gérer, ça m'apparaissait compliqué et les changements de vitesse m'intriguaient. «C'est ben facile, ton moteur t'le dit quand c'est l'temps, ça s'entend… R'garde, écoute!» Malgré toute ma concentration, je ne voyais pas le moteur me parler.

Mais ce qui me dérangeait le plus quand j'embarquais dans son auto, c'était l'histoire du Spanish Fly, rapportée de la ville par le grand frère d'Isabelle Bélanger, qui a juré que c'était vrai, la fille était morte au bout de son sang. Des gars auraient drogué une fille avec du Spanish Fly et elle aurait fait des choses pas catholiques avec un shifteur.

Ici, ce n'est pas comme en ville. On n'a pas d'histoires de la sorte. Ici, personne ne ferme les portes de sa maison à clé. Pour l'auto, c'est pareil. Luce et Paul n'ont même pas peur de venir chez nous pendant que leurs enfants sont couchés. Une fois qu'ils sont endormis, Luce appelle ma mère. Les deux laissent le combiné décroché, comme ça elle peut écouter de temps en temps pour savoir si l'un d'eux se réveille.

Pourtant, certains voisins affichent dans la fenêtre du salon la pancarte rouge et blanche de Parents-Secours. Je n'en vois pas l'utilité. Ma mère dit qu'on ne sait jamais, mais, franchement, je ne vois pas. Les enfants de la rue, à supposer qu'ils aient besoin d'aide, demanderaient à n'importe qui. Et pourquoi seraient-ils en danger anyway?

Pour mes amis et moi, le champ, la track, le boisé, le parc, la raffinerie et cette rue style-rond-point-cul-de-sac, peu passante, c'est un immense terrain de jeu à ciel ouvert qu'on partage l'été avec les mouffettes, les ratons laveurs, les oiseaux, les chats, les chiens, les insectes et les abeilles de mon père et de Paul.

On y est libres, mais moi, je ne me sens plus invincible et immortelle, contrairement à avant. Avant Dominic.

Je sais maintenant que la mort existe.

Et qu'elle rôde, même ici, dans cette rue isolée du monde entier.

# GERMINATION

— Ouach! Tu pues donc ben d'la face!
M'maan! Mômaaaaan!

— Julie, j'haïs ça quand tu fais ça. Pose-la
tout d'suite, ta maudite question, au lieu
d'attendre que j'te demande c'que tu veux.

Elle m'énerve.

— Silvain pue d'la face, pis son nez est
enflé…

Mon petit frère, Silvain, a cinq ans. J'ai
sept ans de différence avec lui et sept ans
aussi avec mon grand frère, Alain, l'échalas.
Pognée en sandwich entre deux gars, dont
l'un a des vers dans le cul, l'autre, une ten-
dance sadique.

Quand j'écris des cartes à ma mère ou à
mon père à leur fête et à Noël, je signe «Julie,
ta fille unique», en imaginant l'être un petit
instant. Ce serait reposant. Mes frères et
moi, on vit dans des mondes parallèles, trop
éloignés en âge et avec trop peu de points en
commun pour avoir le goût d'être ensemble.
Si c'était calculé leur affaire, à mes parents,
c'était un mauvais calcul, sept ans entre
chaque enfant.

Depuis que ma mère a accouché de mon petit frère, c'est l'enfer. Le 13 janvier 1977, mon grand frère et moi, on a trouvé une note sur le comptoir de la cuisine. Mes parents étaient partis à l'hôpital durant la nuit. Quand ma mère est revenue avec le bébé, tout a changé. La famille que je connaissais depuis sept ans n'existait plus. Cet étranger a ravi mon titre de « p'tite dernière », m'a volé ma mère et a ruiné la relative tranquillité de la maisonnée.

À cinq ans, mon petit frère est un monstre, too much gossant, énervé, énervant. Une vraie mouche à marde, qui s'est juré d'avoir la peau de ma mère ou de la rendre folle. « Il va finir par me tuer, c't'enfant-là ! », « Il va me rendre folle, le p'tit maudit ! » C'est ce qu'elle dit, selon les circonstances. En fait, il va finir par tous nous avoir à l'usure, d'une manière ou d'une autre, sauf mon père qui n'est pas là assez souvent pour prendre la mesure des ravages causés par un si petit être à l'air faussement angélique.

Silvain est blond et a les yeux bleus. Alain a les cheveux noirs et les yeux verts. Et moi, cheveux et yeux bruns. Certains jours, je vis ça comme une grande injustice. Je rêve alors d'être à l'image d'une héroïne de roman, longue chevelure blonde ondoyante, grands yeux pers brillants d'intelligence, lèvres charnues et gourmandes… ou quelque chose du genre.

Je suis plutôt ordinairement terne. C'était encore pire l'été passé quand ma grand-mère et matante Fafan m'ont fait couper les cheveux courts, comme elles. J'avais l'air d'un garçon. J'en pleurais. «Ben, voyons! Pleure pas d'même, ça repousse des cheveux!» qu'elles m'ont dit pour essayer de me consoler. Ça repousse, mais pas assez vite à mon goût.

— Ben oui, toi, son nez est enflé, et c'est vrai qu'y pue… Silvain, qu'est-ce t'as encore fait? Lève le menton que j'regarde dans ton nez…

Mon petit frère n'en est pas à sa première niaiserie. Tout récemment, il a avalé une bille. Je jouais avec Chantal et Belinda aux billes, dans la garnotte, près du fossé. Mon petit frère est arrivé, tout nu sur son bicycle, rayons garnis de cartes à jouer tenues en place par des épingles à linge – dans sa tête d'enfant, les cartes font un bruit de moteur –, et avec le casque de moto d'Alain sur la tête. C'était d'un chic.

Il a débarqué, s'est avancé. «Scrame, avec ton p'tit zizi à l'air!» Tout le monde a ri. Il a attrapé ma plus belle bille et l'a avalée. Ma mère a examiné tous ses cacas. Elle l'a récupérée, mais, moi, franchement, ça m'écœurait trop de savoir d'où elle venait. Je la lui ai offerte en cadeau. Il m'a trouvée bien fine. Ce n'était pas à lui que je faisais plaisir.

— Il s'est mis quelque chose dans l'nez, le p'tit maudit! Silvain, qu'est-ce t'as mis dans ton nez?

— Une peanut, la bille était trop grosse, ça rentrait pas…

Ça pue parce que la peanut a commencé à germer. Ma mère est découragée, moi, dégoûtée. Il a fallu aller à la clinique.

En passant devant la maison des Laporte, j'ai vu une voiture que je ne connaissais pas.

## LET'S GET PHYSICAL

Des larmes brouillent ma vue. À la télé, le ring de boxe est envahi de gens qui n'en ont que pour le vainqueur, Apollo. Quelques journalistes braquent leur micro sur Rocky et le harcèlent de questions.

Visage ensanglanté, yeux tuméfiés, il crie à répétition, avec le peu de force qui lui reste : «Adrian ! Adrian ! Adrian ! » La jeune femme timide se fraie difficilement un chemin à travers la foule exaltée, au son d'une musique poignante.

Elle monte enfin sur le ring, saute dans les bras de Rocky, qui se fout d'avoir perdu son combat. Les deux amoureux s'étreignent et s'avouent leur amour, indifférents au chaos autour d'eux.

Une scène inoubliable de dix minutes, qui se termine dans ce crescendo d'émotions, et je n'en finis pas de brailler.

On a diffusé *Rocky* à la télé à l'occasion de la sortie cet été de *Rocky III : L'œil du tigre*, que j'espère aller voir au cinéma, de l'autre côté du pont, à Belœil. *Eye of the Tiger*, la chanson-thème, joue tout le temps à la radio.

Quand on va au cinéma, j'ai peur d'être en retard à cause du pont levant qui s'ouvre pour laisser passer les bateaux. Je regarde, impressionnée, le mât des grands voiliers avancer prudemment, en imaginant des familles riches voguant sur les mers turquoise du monde entier, l'eau brunâtre du Richelieu n'étant qu'un passage obligé vers des contrées exotiques, dignes des films d'Elvis Presley. Ça me fait rêver.

— Reviens sur l'plancher des vaches : si t'as mal au cœur en auto, ça s'ra pas mieux en bateau.

Ma mère dit que c'est peut-être bien beau, mais surtout bien du trouble. *Un pont qui s'ouvre juste pour un bateau, ça retarde le monde et ça crée des bouchons.* Avec elle, tout est pas mal tout le temps du trouble, particulièrement le ménage et ses enfants.

Pour *Rocky III*, rien n'est moins sûr. Ce n'est pas tous les films qui se rendent à Belœil. En ce moment, par exemple, *E.T.* passe juste à Montréal, à Brossard et au ciné-parc de Boucherville.

Ma mère n'aime pas conduire ailleurs qu'ici, mon père n'est pas souvent là et, quand il est là, il n'a pas le temps. Il a trop de passions et de rénos pour une seule vie.

Mon frère, l'échalas, est allé voir *Blade Runner* en autobus à Montréal et il a trouvé ça écœuramment bon. Il m'a promis de m'emmener un jour en ville. Ça aussi, rien n'est moins sûr. Je suis rarement dans les bonnes grâces de l'échalas.

Dans mon lit, je repasse une autre scène, certainement moins glorieuse, assurément pas romantique, mais tout aussi inoubliable que celle de *Rocky*. Belinda et moi, on inventait une chorégraphie sur *Let's Get Physical* d'Olivia Newton-John, la belle fille blonde qui joue Sandy dans *Grease*, sur la pelouse, devant sa maison.

Cheveux crêpés, collants fuchsia, léotards blancs, bandeaux mauves. On se trouvait extra hot. Belinda suit des cours de gymnastique à l'école. Elle est capable de faire la chandelle et la roue pendant que moi, je fais ce que je peux, et ce n'est pas toujours gracieux.

On s'obstinait sur le prochain move quand un gars est passé devant nous avec Nanook en laisse, le chien de Dominic, en direction du boisé, de l'autre côté de la track. Un gars qu'on ne connaissait pas. Plus vieux que nous. Et tellement beau.

Je revois la scène au ralenti. Belinda et moi, on a suspendu notre obstination. Bouche bée devant cette apparition inattendue dans notre rue style-rond-point-cul-de-sac, on l'a regardé, il nous a regardées, le chien nous a regardées, le gars a fait un léger signe de la tête, avec un sourire en coin, en poursuivant sa route. Ses cheveux flottaient au vent. Il portait un chandail de Led Zeppelin, des jeans serrés et des combat boots.

Son regard m'a fracassée.

Quand on l'a perdu de vue, après qu'il s'est engouffré dans le boisé, on a retrouvé nos esprits, et c'est là qu'on a entendu Olivia chanter *Let's get physical, physical* et qu'on s'est vues dans notre accoutrement.

Dire qu'on s'est senties ridicules est un *understatement*, selon Belinda. Les adultes assurent qu'on n'a jamais une deuxième chance de faire une première bonne impression.

On l'avait vraiment ratée, celle-là. Pour sûr, il se souviendrait de nous, mais pas pour les bonnes raisons.

## PETITE VOIX INTÉRIEURE

Le chant effréné des criquets et des cigales accompagne mes pas dans le champ sous le soleil tapant de midi. Belinda est partie magasiner avec sa mère, les autres se baignent chez Bruno.

Je préfère rester seule quand Belinda n'est pas là. Avec elle, je me sens bien. Avec les autres, les échanges sont calculés, surtout au bord d'une piscine. De l'extérieur, tout a l'air normal, c'est vraiment subtil, mais le jeu de pouvoir hypocrite est réel. Qui est le plus fort, qui est le meilleur, qui est la plus belle. Les filles se jugent le body, les gars évaluent le body des filles, et le bikini ne pardonne pas.

Je n'avais pas le courage aujourd'hui d'exposer mon absence de seins (selon l'avis de tout le monde), mon gros cul (selon l'avis de mon grand frère), mes orteils de Flintstones (selon l'avis de mon père) et mes genoux par en dedans (selon l'avis de ma mère, qui en a des pareils). Mais, surtout, j'avais envie d'être tranquille pour rêver.

À la maison, mes frères me gossaient, mon père perçait le béton du sous-sol pour installer des fenêtres, ma mère chialait par-dessus le bruit infernal au sujet de la poussière. À mon avis, fallait qu'elle lâche prise. Son combat contre la machine à perforer était perdu d'avance. Elle ne faisait pas le poids devant la saleté qui s'incrustait partout. Son rouspétage, c'était de l'énergie gaspillée. Elle en aurait pour des semaines à la traquer anyway, chialage ou pas.

Mon île m'appelait. J'allais pouvoir y rêver sans me faire déranger. Me rejouer la scène où le beau gars est passé devant Belinda et moi, en omettant les détails de mon accoutrement. Mon découpage est précis : il marche, me regarde, et il est beau. C'est tout ce dont j'ai besoin pour imaginer qu'il me trouve de son goût, malgré mes douze ans. J'ai de la difficulté à faire abstraction de Nanook dans cette scène. Ça me fait quelque chose qu'il se promène avec le chien de Dominic, même si, au fond, c'est tant mieux que quelqu'un en prenne soin. Depuis ce qui était arrivé, Nanook passait ses journées attaché.

Je suis contente de me rappeler qu'il reste des bonbons dans notre cachette. Un lunch, un livre, des bonbons, la tranquillité, la nature, rien de plus n'est nécessaire à mon bonheur. Je tasse les branches et me fraie un chemin jusqu'au centre, où la végétation est moins dense.

Il est là.

En train de fouiller dans *notre* boîte.

Je me fige.

Il lève les yeux.

S'il est surpris, s'il est honteux, ça ne paraît pas.

— Salut…

— …

*(Allez, vas-y, t'es capable, fais juste répondre à son salut, c'est pas dur, tu peux pas avoir l'air folle ou faire une gaffe en disant salut…)*

— … ça va?

*(Il va penser que j'suis une épaisse, une pas polie, ressaisis-toi Julie, come on, pourvu qu'il vienne pas tout gâcher en demandant si un chat a mangé ma langue, ça serait tellement mononcle…)*

— Excuse, j'voulais pas te faire peur…

— J'ai pas eu peur…

— J'voulais pas te surprendre d'abord… C'est toi que j'ai vue hier?

*(Shit! Moi qui espérais qu'il me reconnaisse pas! J'ai honte, j'ai chaud, ça paraît-tu?)*

— Hé, oui…

— Me semblait aussi… Je m'appelle Nicolas. Nicolas sans h.

*(C'est un beau nom, ça lui va bien…)*

— Moi, c'est Julie, Julie sans h aussi.

*(Dix pour l'effort, mais c'est tellement pas drôle, je m'haïs des fois, il est encore plus beau de proche…)*

— C'est cool ici. C'est ton spot?

Parmi tous les scénarios inventés depuis hier, aucun ne ressemble à celui-ci. Je suis surprise qu'il soit là, offusquée qu'il soit là, mal à l'aise qu'il soit là, contente qu'il soit là. Un beau melting pot d'émotions qui m'envoie des messages contradictoires.

*(OK, joue-la cool, détachée, relaxe…)*

— Non, pas tout à fait, moi et mon amie Belinda, celle que t'as vue hier, on vient ici. Les autres, pas tellement.

— J'suis le cousin de Jo…

*(Y peut pas juste dire Jo, y peut pas, ça se fait pas de faire comme s'il était pas aussi le cousin de Dominic…)*

— Le cousin de Jo et… de Dominic?

— Euh, oui… J'viens de Montréal, j'vais passer du temps avec Jo cet été, vu que…

— Ouais…

*(Mon Dieu, qu'il finisse pas sa phrase, y peut pas juste dire le nom de Jonathan en omettant celui de Dominic, mais y faut pas non plus que ça aille plus loin, je pourrais pas, tout d'un coup qu'y sait pour le vomi, ben non, y peut pas, qui lui aurait dit? Ça n'a pas de sens, mais quand même, d'un coup que…)*

— Ouais, ben, c'est ça, demain, j'pars, mais j'vais revenir, j'vais revenir dans quelques jours.

On aurait dit que le ton de sa voix voulait laisser entendre autre chose que juste ça, qu'il allait revenir. C'était une promesse.

*(Ben voyons! Je m'en imagine donc ben des affaires avec pas grand-chose, c'est pathétique…*

*À moi, ordinairement terne, y promet de revenir comme s'il était déçu de partir ? Ça se peut comme pas…)*

Il m'a aidée à placer la couverture. J'ai partagé mes bonbons, et on a passé le reste de l'après-midi, assis côte à côte, à observer les fourmis transporter en équipe les miettes sucrées qu'on laissait tomber.

Si je semblais absorbée par le va-et-vient des fourmis, toutes les cellules de mon corps étaient conscientes de ses moindres gestes, doigts qui tracent la terre, genoux qui se replient, paupières qui clignent, bouche qui s'ouvre, gorge qui pique… Les plus infimes variations dans l'air de ce corps étranger vibraient jusqu'à moi.

Je me suis demandé, devant la force de cette sensation, si lui aussi ressentait la même chose, si l'intensité de ce que j'éprouvais était le signe indéniable que je n'étais pas la seule à regarder les fourmis en étant, dans les faits, entièrement bouleversée par la présence de l'autre.

J'aurais voulu que ça ne s'arrête jamais. Il a fini par se lever. Je l'ai regardé s'en aller à travers les branches, pendant que Diane Dufresne chantait dans ma tête *Aujourd'hui, j'ai rencontré l'homme de ma vie, oh, oh, oh, oh, aujourd'hui, au grand soleil, en plein midi…*

## I WAS MADE FOR LOVIN' YOU

J'observe mon visage, concentrée, immobile, appliquée. Longuement. Jusqu'à devenir une autre, étrangère à moi-même. Je me regarde d'une telle manière que je finis par avoir devant moi quelqu'un qui n'est plus moi.

En me voyant comme ça, détachée, je me demande s'il m'a trouvée belle. Si je suis belle. Si je suis à ses yeux autre chose qu'une fille terne de douze ans, trop jeune pour lui, plate comme une planche à repasser, avec des taches de rousseur, des genoux par en dedans, des orteils de Flintstones et un gros cul. Je remarque alors dans le miroir la langue tirée de Gene Simmons sur mon poster de Kiss qui me ridiculise. Je lui retourne sa grimace.

Découragée, je me laisse tomber sur le lit. Je comble le vide de l'absence de Nicolas en me complaisant dans mes pensées. Je rejoue la scène de l'île, en boucle, dans ses moindres détails, l'analyse sous différents angles, différents éclairages, et je m'inquiète qu'il ne revienne jamais vers moi, qu'il m'ait déjà oubliée. Que pour lui, je n'aie jamais existé. Que j'aie tout imaginé.

Depuis son départ, je compte les heures. Je suis celle qui attend. Je suis dans une épreuve douloureusement lente que je ne connais pas. Jusqu'à maintenant, dans ma vie, j'ai appris à attendre l'arrivée de mes parents, la fin de l'école, l'heure du souper, la venue du père Noël, la première neige, les bourgeons, la diffusion de *Jésus de Nazareth*, les vacances d'été, la Saint-Jean, la livraison du journal… je connais ces attentes. Je les éprouve depuis toujours. Elles sont des repères réconfortants, des points d'ancrage rassurants.

Cette attente de lui, saturée d'incertitudes, de questions sans réponses, et de manque, je ne la connais pas. Je suis en manque d'un gars que je ne connais pas et je me sens perdre pied dans ce territoire inquiétant et inconnu.

Nicolas, dépêche-toi de penser à moi, de revenir vers moi. Parce que, dans cette nuit noire, je sens dans tous les racoins de mon cœur et de mon corps que je suis faite pour t'aimer et que tu es fait pour m'aimer.

## LIK-A-STIX

— Allez, montre-moi !

Je supplie Belinda de m'apprendre à frencher, même si son expérience est limitée. J'insiste en lui tendant la bouteille de Coke vide.

— Come on !

Elle a frenché juste une fois, mais c'est une fois de plus que moi. Ses parents lui laissent peu d'occasions pour que l'expérience se reproduise. Ils lui tiennent les rênes serrées. S'ils apprenaient que ça s'est fait dans les toilettes de son école de catéchèse du samedi en plus, ils feraient d'elle une sœur cloîtrée. Elle n'avait pas pu choisir pire endroit. Belinda avoue qu'elle a plutôt subi que choisi. Le gars qu'elle trouvait de son goût l'avait suivie et l'avait embrassée sans lui laisser le temps de penser. Ç'a été baveux et pas très concluant.

Pour ma part, rien n'indique que Nicolas va m'embrasser un jour ni qu'il va revenir. Ma mère répète toujours qu'on n'est jamais assez prévoyant dans la vie. Alors, je prévois.

— Ça marchera pas avec la bouteille. Viens, donne-moi ton avant-bras.

Je passe la nuit chez elle. Ses parents ne veulent jamais qu'elle dorme chez nous, même s'ils me connaissent, connaissent mes parents, et qu'on habite en diagonale, à plus ou moins quarante-six pas de distance, selon la variation des enjambées. *You are, par exemple, more than welcome.* Tant mieux parce que je suis pas mal tout le temps chez eux.

Ma mère dit que c'est comme ça depuis longtemps, toujours rendue chez l'une ou chez l'autre. Quand j'étais plus jeune, les voisines appelaient ma mère pour qu'elle ne s'inquiète pas. J'aimais être avec les adultes, surtout ceux sans enfant. À cause du silence. C'est une denrée rare sur la rue, les familles pas d'enfant. Le silence aussi. Ça me faisait un break de chez nous. Les maisons où je me réfugiais avaient une qualité de silence particulière, que j'entendais avec mon corps plus qu'avec mes oreilles.

Le silence de la maison de madame Pelletier, par exemple, était serein. Ses filles parties, elle vivait seule. Je ne la sentais pas triste. Elle peignait toute la journée, ce qu'elle avait attendu de pouvoir faire toute sa vie, m'a-t-elle dit un jour, comme un secret honteux. Ça me faisait rêver.

Peindre toute la journée, c'est bien mieux que de partir travailler, comme ma mère, revenir stressée, faire le souper, la vaisselle, s'occuper des enfants, ramasser, crier, rouspéter, et ne jamais rien faire d'autre que ça, jour après jour. Ma mère s'en plaint assez que c'est dur de ne pas comparer sa vie à celle de madame Pelletier.

Je ne lui rends plus tellement visite, mais je me souviens qu'elle se faisait un thé et me servait des biscuits au beurre de la boîte bleue. Après, elle continuait à peindre, et je l'observais. J'aimais entendre le glissement rêche du pinceau sur la toile. Je dessine aussi, mais je n'ai pas son talent. Paul, le mari de Luce, pense que j'en ai assez pour m'inscrire à des cours. Il m'a suggéré d'en suivre en même temps que lui à l'automne. Je ne sais pas si mes parents seront du même avis.

Chez moi, il y a du silence, du vrai, seulement la nuit. Autrement, le silence est occupé par le chialage de ma mère, le babillage de mon petit frère et le rafistolage de mon père. Mais, surtout, il est saturé de tout ce qui n'arrive pas à se dire entre mes parents. Et ça fait un vacarme infernal. Ils se font des accroires s'ils pensent que je ne le remarque pas.

Belinda éteint la lampe de chevet et je lui tends mon bras. Ça me gêne un peu, mais j'ai trop envie de savoir comment on fait. J'ai vu des couples s'embrasser dans des films d'amour et dans des photos-romans, mais ça ne m'éclaire pas tant, concrètement.

Quand il y a des scènes du genre à la télé en présence de mes parents, j'essaie d'avoir l'air normal, sans succès. Je me tortille, tousse, et finis par m'éclipser aux toilettes, certaine d'être démasquée.

Le problème, ce n'est pas ce que je vois ; le problème, c'est moi, en présence de ma mère et de mon père, pendant ce genre de scènes. Je n'ai jamais surpris mes parents en train de s'embrasser ni de se tenir la main. Je les imagine encore moins reproduire les images du livre *La merveilleuse histoire de la naissance racontée aux enfants.* Ils ont dû faire le sexe juste trois fois pour avoir trois enfants. Ça ne fait aucun doute, ils ne connaissent rien à l'amour.

Belinda me donne de petits becs en ouvrant de plus en plus ses lèvres. Elle sort sa langue. Une chaleur inconnue se répand dans mon ventre et me donne envie de coller mon bassin contre elle.

Je ferme les yeux et j'imagine les lèvres de Nicolas sur moi. Il a dû en embrasser, des filles, lui. Je me demande combien. Plusieurs, c'est sûr. Cette pensée me tord le ventre. Je n'ai jamais encore ressenti ça.

Je m'inquiète de ne pas savoir quoi faire, d'être mauvaise au point qu'il rie de moi. Les premières fois, c'est important. Toutes les premières fois. Parce que lorsqu'on a goûté, essayé, fait, senti, vu, dit, touché quelque chose pour la première fois, c'est fini. La première fois est passée. Elle ne reviendra plus. Je ne voudrais pas que ma première fois soit décevante, ni pour lui ni pour moi. J'ai peur. Ma dernière presque première fois a viré au cauchemar.

À l'île, hier, Nicolas m'a demandé s'il pouvait goûter la poudre aux cerises de mon Fun Dip. Sans attendre ma réponse, il a trempé le Lik-a-Stix et l'a porté à sa bouche, même s'il m'avait vue le lécher au moins vingt fois. Quand il a fait glisser le bâton entre ses lèvres, j'ai eu l'impression que c'était à moi qu'il goûtait, que ma langue se mêlait à la sienne dans une caresse sucrée. J'aime penser que notre premier baiser s'est échangé par le biais d'un Lik-a-Stix.

Belinda me demande si je veux essayer. Je tente d'imiter sa technique. Je prends mon temps. Sa respiration s'accélère. Je pense qu'elle aime ça. On doit faire quelque chose de mal. J'aurais honte si la mère de Belinda ouvrait la porte, et c'est un bon point de repère, la honte, pour départager le bien du mal. C'est ce que dit le curé.

Je ne tripe pas sur les affaires interdites. Les gars, eux, prennent plaisir à faire des mauvais coups. Je les trouve tellement caves quand ils lancent des roches sur les trains de marchandises en marche remplis d'autos neuves ou volent des légumes dans le jardin des Poitras juste parce qu'ils sont roux, comme si c'était une excuse.

Pour moi, l'inquiétude de me faire prendre est plus forte que le thrill de la chose interdite. Je préfère l'euphorie des gestes inoffensifs : coller ma langue sur un poteau de métal l'hiver, voler quelques cennes dans le pot de la mère de Belinda, me décrotter le nez avec mon doigt, manger du chocolat en cachette, fouiller dans la chambre de mes parents, dessiner une moustache sur le visage de la vedette en première page du télé-horaire, regarder les réponses du jeu des huit erreurs avant de commencer...

Je m'endors sans plus d'assurance, et avec Nicolas dans toutes mes pensées.

Il allait revenir, il l'avait dit, l'avait répété avant de me quitter, en plantant ses yeux dans mon cœur. « Quelques jours. »

Demain serait le deuxième jour de quelques jours.

# L'HOMME ÉLÉPHANT

Les heures s'étiraient jusqu'à l'infini. Ça prenait une éternité avant que le deuxième jour s'empile sur le premier, le troisième sur le deuxième, et ainsi de suite.

Dans cette espèce de temps englué, Belinda et moi, on s'est fait bronzer, on s'est baignées, on a dessiné, dansé, chanté, joué à l'élastique, fait des biscuits, sauté à la corde à danser, cherché des trèfles à quatre feuilles, capturé des sauterelles, cousu des coffres à crayons, cueilli des fraises sauvages, passé la tondeuse...

Tout ça, sans grand entrain. Notre ennui nous a même inspiré la bonne idée de nous lancer le chat de Carmelle devant chez moi, alors que ma mère faisait la vaisselle. Quand elle nous a vues, elle a crié comme une folle. Toute la rue l'a entendue, c'est sûr.

On a également fait du vélo. Et c'est là que je me suis pété la gueule solide. On descendait la côte pour aller chez Johanne. Belinda était loin devant.

— Attends-moi! Attends-moi!

Elle n'a pas ralenti et j'ai freiné trop brusquement dans la courbe, à l'arrêt de l'autobus scolaire, au coin de Beaujeu. Justine Dupré m'a ramassée en sang. Elle a dit m'avoir vue de chez elle passer par-dessus le guidon, tête première. Je ne m'en souviens pas trop. Justine parle anglais, comme Belinda. Je ne sais pas pourquoi cette envie m'est venue, mais j'ai pris mon meilleur accent : « Qu'est-ce que ça veut dire *sexual healing* ? »

— Que le sexe, ça répare.

— Ça peut réparer mon vélo pis moi ?

— J'pense pas…

J'étais déçue de ne pas être plus renseignée. Je me demandais, perplexe, ça réparait quoi et comment, le sexe, d'abord. Justine m'a portée jusqu'à la maison. Sa longue chevelure auburn embaumait la pivoine, ma fleur préférée, à qui je pardonne de cacher plein de fourmis. J'avais mal à la tête, je ne me sentais pas top shape, mais ça allait. Belinda suivait avec nos bicycles.

En me voyant, ma mère s'est mise à paniquer, ce qui m'a fait paniquer, ce qui a fait brailler mon petit frère, ce qui m'a fait brailler, ce qui a fait encore plus paniquer ma mère. Mon père voulait qu'*on se calme s'il vous plaît.*

— Euh… j'pense que j'vais vomir.

Mon père s'est figé, mon petit frère a crié, et ma mère s'est empressée de m'amener à la salle de bain. On n'a pas eu le temps de se rendre. Pendant que ma mère torchait mon dégât, mon père a statué, torse bombé, qu'il fallait aller à l'hôpital, que le vomi, ce n'était pas bon signe, et que je ne devais en aucun cas m'endormir. Je ne voyais pas le rapport.

Dans l'auto, ils se relayaient pour me tenir éveillée. Ils me gossaient raide, mais c'était beau de les voir s'inquiéter ensemble. Quand je suis malade, ma mère prend soin de moi, et ça me donne l'impression d'aller mieux. Si j'ai mal à la gorge, elle fait chauffer dans le four une serviette badigeonnée de Vicks qu'elle m'enroule autour du cou, si j'ai mal au cœur, elle me fait boire du 7-Up flat. Son temps occupé se suspend juste pour moi, et ça me fait sentir importante et aimée. Aujourd'hui, c'était la même chose, mais en doublement mieux.

Les docteurs ont dit que j'avais une commotion et ils m'ont gardée *en observation*. Ils ne m'ont pas observée fort, fort. Ils m'ont juste fait attendre pour pas grand-chose. Je me suis mise à m'inquiéter du temps que je faisais perdre à mes parents.

Quelques heures plus tard, en revenant à la maison, ma mère a fait arrêter mon père au Mail Montenach. Selon elle, il fallait absolument immortaliser ça dans la machine à photos. Maintenant que j'étais hors de danger, elle trouvait ça drôle. Elle disait que j'avais l'air de l'homme éléphant. Elle m'a expliqué qu'un film a même été fait en l'honneur du vrai homme éléphant, laid et difforme. Ça ne me tentait pas du tout, son affaire, et je la trouvais méchante. J'avais mal partout et juste hâte d'être chez nous.

En arrivant, je me suis enfermée dans ma chambre. Belinda a passé la tête par la fenêtre. Elle s'est servie de l'escabeau que ma mère utilise pour étendre son linge. Mon père n'a pas encore fait le deck, mais il a posé la poulie de la corde aussi haute que s'il y en avait un. Ce n'est pas prévu qu'il construise un deck bientôt. Il a *d'autres priorités prioritaires.* C'est ce qu'il a dit à ma mère.

Quand je la vois en équilibre précaire sur l'escabeau, avec son panier à linge, je l'entends chialer dans sa tête contre mon père. Quand les corneilles envahissent la corde, je l'imagine se faire attaquer, comme dans le film *The Birds* d'Hitchcock. Étendre du linge chez nous, c'est risqué. En attendant, elle prend son mal en patience. Bientôt, elle sera en manque de patience; elle n'en a déjà pas beaucoup en réserve.

— J'avais hâte de voir l'auto de tes parents dans l'driveway. T'es-tu alright? J'm'excuse de pas t'avoir attendue…

— Ben non, c'est pas grave.

— Euh, j'voulais te dire aussi que, ben… Nicolas est revenu.

Je ne lui en avais pas parlé beaucoup, de Nicolas. Elle l'avait trouvé de son goût, elle aussi, et ce n'était pas mon intention de lui faire de la peine ni qu'elle me trouve fatigante. Sauf que. Des fois, c'était plus fort que moi. Je pensais à lui tellement tout le temps que j'allais exploser si ça ne sortait pas. J'avais fini par lui avouer que je comptais les secondes depuis son départ. Ça voulait tout dire.

— Tu l'as vu?

— Oui, il est allé dans l'boisé avec Nanook et Jo.

Je m'en étais fait des scénarios dans ma tête, mais je ne m'étais pas imaginé que je me péterais la face en vélo, ni que je ressemblerais à l'homme éléphant, ni que ma mère me forcerait à me reposer pendant un temps indéterminé, le jour de son arrivée.

— Y t'a-tu demandé où j'étais?

— Non…

— Tu lui as-tu dit où j'étais?

— Non…

— Non? Come on, Belinda!

— Parle moins fort, ta mère va nous pogner! Ben quoi? J'savais pas quoi faire, I never talked to the guy!

— Non, mais y sait t'es qui, par exemple.

— Haha, very funny… «Ouais, excuse-moi, tu m'connais pas, mais j'suis la conne qui dansait avec l'autre conne sur du Olivia Newton-John, j'voulais te dire que mon amie Julie, l'autre conne là, ben, elle a fait une débarque en bicycle pis est à l'hôpital.»

— Ben quoi, ça aurait pu faire son effet, peut-être qu'y se serait inquiété pour moi...

J'ai dit à Belinda que j'étais fatiguée. Pour vrai, j'étais plus déprimée que fatiguée.

— OK, call-moi quand tu veux.

J'ai fermé les yeux et j'ai essayé d'imaginer la suite pendant que j'entendais Belinda s'en aller en fredonnant *Call Me* de Blondie. Ma mère dit souvent que ça ne coûte rien de rêver, surtout quand elle me voit tourner avec envie les pages du catalogue Sears. C'est tant mieux qu'elle me dit, parce que sinon ça me coûterait une beurrée, que je ne possède pas.

Tous les détails poches qui essayaient de s'inviter dans mes pensées, je les chassais. Les images dans ma tête, je les voulais aussi réconfortantes qu'un film hollywoodien qui finit bien. Nos retrouvailles imminentes seraient grandioses, avec des violons et tout le kit.

III

# C'EST UN SIGNE

— M'man?

Elle soupire.

— Quoi?

— C'est à qui, l'auto chez Carmelle?

— C'est peut-être celle d'la sage-femme…
Luce m'a dit qu'elle avait eu des contractions
hier.

Je fixe la maison par la fenêtre de la cuisine,
pendant que l'eau coule sur mon bol de
céréales.

— Ferme le robinet! Tu gaspilles, là!

Je ne sais pas à quoi je m'attendais, mais
rien ne laisse croire qu'elle accouche. Tout
est calme. Personne n'entre ni ne sort l'air
catastrophé. Carmelle accouche-t-elle comme
elle parle, tout doucement?

Comment on fait des bébés, comment ils
sortent de notre ventre, ce n'est certainement
pas ma mère qui me l'a expliqué, encore
moins mon père. Si j'ai déjà entendu mes
parents dire qu'on ne discutait pas d'argent
ni de politique, jamais ils n'ont déclaré un
soir, au souper, la bouche en trou de cul de
poule : « Les enfants, on ne parle pas de sexe

s'il vous plaît! » Le sexe, chez nous, ça n'existe pas. Tout est l'œuvre du Saint-Esprit. J'exagère à peine.

Certaines informations contradictoires se sont déjà échangées dans la cour d'école. Moi, j'écoutais. Je n'avais rien de fiable à transmettre. En gros, on laissait entendre que le père devait entrer son machin dans le machin de la mère. Certains affirmaient que les filles pouvaient tomber enceintes juste en frenchant.

Le lendemain de ma fête, ma mère m'a dit: «Tiens...» en me tendant *La merveilleuse histoire de la naissance racontée aux enfants*. Vraiment? Elle s'est réveillée en se disant: «Bon, c'est l'temps de mettre ma fille de douze ans au courant des mystères de la vie, et un livre fera très bien l'affaire»?

Je me demande si elle a été inspirée par le récent sondage pour les cours d'éducation sexuelle à l'école. Ç'a l'air que certains parents paniquent. Si l'État s'en mêle, les principes moraux des chrétiens ne seront pas respectés. Ma mère a décidé de prendre les choses en main.

En fait, ce n'est pas tant l'idée du livre qui me dérange. Parce que, bien franchement, j'aurais voulu disparaître sous le tapis tressé laid du salon si elle avait voulu avoir avec sa fille unique une discussion sur les *mystères de la vie*.

Le problème, c'est, primo, qu'elle ait pensé au sexe, secundo, qu'elle ait pensé au sexe et à moi dans le même espace-temps, et, tertio, qu'elle ait pensé à m'offrir précisément ce livre, qui présente la chose avec des dessins et des mots louchement trop beaux, trop propres et trop doux.

Dans ma tête, accoucher, c'est dégueu. Ça crie et ça pisse le sang comme le Chestburster dans *Alien, le huitième passager*. Impossible que ça soit à l'image du livre. Qu'une si grosse tête sorte de là, ça ne peut pas être une expérience agréable. Quelqu'un essaie de m'en passer une vite.

L'autre jour, aux toilettes, je me suis dit *pourquoi pas* en attrapant le miroir grossissant de ma mère, qui s'en sert pour s'épiler deux, trois poils de sourcils en trop. Erreur! Horreur! C'est aussi répugnant que le pire des mots qui désignent cette affaire-là : vagin. Je ne sais pas pourquoi, mais on dirait que toutes les affaires de filles sont associées à des mots laids comme vagin, menstruation, brassière, trompes de Fallope…

J'ai eu des frissons de dégoût devant cette bibitte préhistorique. J'ai vécu un traumatisme, c'est sûr. Je suis marquée pour la vie. C'était ma première et ma dernière excursion dans cette région, qui n'appellerait plus jamais ni mes yeux ni mes mains. En plus, j'ai trouvé quelques poils noirs. Ça rend la chose encore plus hideuse.

J'avais eu l'idée de regarder parce que l'autre jour, à l'île, avec Nicolas, et l'autre soir, dans le lit, avec Belinda, quelque chose a pris vie entre mes jambes.

Ma mère me sort de ma rêverie.

— J'pense que t'as l'air mieux… Tu pourras sortir jouer avec les autres aujourd'hui…

— Yesss !

— Pas besoin de dire que tu fais pas d'vélo, j'espère ?

Ça me rendait folle de penser que Nicolas était là, même si c'était un soulagement qu'il ne voie pas ma face d'homme éléphant. Me casser le poignet aurait été plus cool. Tout le monde aurait voulu signer mon plâtre. Nicolas y aurait fait des dessins et écrit des mots d'amour en prenant tout l'espace possible. J'aurais été une vedette et ma mère ne m'aurait pas interdit de sortir.

Pendant ce qu'elle appelait ma *convalescence*, je me suis fait un poste d'observation, derrière les rideaux du salon, inspirée par la chanson *Promenade sur Mars* d'Offenbach : *Je vous espionne de ma fenêtre, promeneuse qui avez un chien…*

Dès que mes frères, mon père ou ma mère arrivaient, je faisais mine de regarder la télé, en souhaitant qu'ils s'en aillent. Belinda venait parfois me faire des comptes rendus. Elle n'avait jamais grand-chose à dire. Quand, enfin, je le voyais passer pour aller dans le boisé avec Nanook et Jo, il tournait la tête vers chez nous.

C'est un signe, c'est sûr. Il ne m'avait pas oubliée.

## MARGUERITE

Ça ne coûte peut-être rien de rêver, mais rêver grand, rêver haut a parfois un prix. Mon rêve flottait béatement dans la stratosphère quand la réalité lui a arraché les ailes. En chute libre, il s'est écrasé sur l'asphalte comme une vulgaire crotte d'oiseau, face en sang, morve au nez.

Même si j'ai gardé secrets mes rêves de grandeur, l'humiliation n'en a pas été moins intense. Elle a été, en fait, proportionnelle à l'imagination déployée. Me rappeler toutes les images dont je m'étais gavée sur repeat a été assez efficace pour m'enfoncer le nez dans la marde, au son de ma petite voix intérieure, qui s'est fait un malin plaisir d'ajouter : *T'es vraiment conne d'avoir imaginé tout ça.*

Nos retrouvailles n'auront pas été grandioses avec des violons et tout le kit. Pourquoi ? Parce que je ne l'ai tout simplement pas revu. Ça fait deux jours que je suis de retour dans la civilisation, et rien.

C'est à ça que je pense alors que Belinda et moi, on se rend chez Marie pour jouer à l'élastique sous le carport. C'est pratique quand il mouillasse, comme aujourd'hui. Sur ma rue, aucun carport, aucun garage. L'entrée, chez nous, n'est même pas asphaltée. Elle est en garnotte et délimitée par des pierres des champs qui ressemblent à des grosses patates. Je m'entraîne à m'endurcir en y courant nu-pieds.

Mes parents ont acheté notre maison unifamiliale en revêtement d'aluminium blanc lorsque j'avais deux ans. Le quartier était en construction. Ils ont posé de la tourbe, planté un érable rouge, un sapin et des haies de cèdres *pour plus d'intimité*, ce qu'ils auraient dans cent ans.

L'été, ma mère s'occupe de ses annuelles dans ses plates-bandes et mon père, de ses légumes dans son jardin. Quand il retourne la terre, je suis impressionnée par la quantité de sueur qui sort de son corps et par sa cicatrice qui menace de fendre à chaque coup de pelle.

L'hiver, mon père fait une patinoire dans la cour avec la hose, entre son carré de jardin et le cabanon en presswood couleur rouille vraiment laid, qu'il a construit lui-même. Quand je rêve tout haut d'une piscine creusée, il me sort l'argument de la patinoire, où j'ai appris à patiner avec lui, photo à l'appui. Apprentissage qui m'a permis, tient-il absolument à me rappeler, d'intégrer le groupe avancé de patinage artistique.

Peut-être, sauf qu'il semble avoir oublié mon désenchantement devant l'accoutrement d'Hawaïenne que j'avais dû porter au spectacle de fin d'année. Je rêve d'aller à Hawaï avec Elvis, pas d'avoir l'air d'une épaisse en jupette de foin devant tout le monde. Ma carrière d'athlète s'est arrêtée direct là. Depuis, il me reproche de ne pas faire de sport.

Si j'insiste pour la piscine, il pense me faire taire avec les possibilités innombrables de la hose, comme si s'arroser, l'été, faisait partie des plus grands plaisirs de la vie.

— De toute manière, Belinda, Luce et les Gagnon ont une piscine, c'est pas ça qui manque ici.

— Elles sont hors terre !

— Ouin pis ? Fin de la discussion.

Évidemment, mes frères ne me sont d'aucun secours. Le petit ne fait pas le poids et le grand n'aime ni patiner ni se baigner. L'échalas n'est pas le genre, de toute manière, à argumenter avec son père pour défendre le gros cul de sa sœur. Je vais continuer à m'imaginer en train de faire des longueurs de crawl gracieux dans l'eau cristalline de notre nouvelle piscine creusée, chauffée, qu'on n'aura jamais. Qu'est-ce qu'elle dit, déjà, ma mère, que ça ne coûte rien de rêver ?

Marie habite sur Des Érables, de l'autre côté du terrain vague et du parc. En chemin, Belinda et moi, on laisse notre trace, comme Hansel et Gretel, en crachant avec beaucoup de style nos écales de graines de tournesol, qu'on a en quantité industrielle dans notre poche de K-Way. J'en cracherais bien quelques-unes à la face de Nicolas sans h. S'il était aussi impatient que moi, il se serait montré.

J'arrache des marguerites que j'effeuille en omettant le « pas du tout » et le « un peu ». Ma mère dit qu'il faut faire attention à ce qu'on souhaite. Je souhaite donc qu'il « m'aime beaucoup, passionnément, à la folie ». Je repense tout à coup à l'autre affaire que ma mère dit souvent, que le Bon Dieu réalise nos souhaits quand il veut nous punir, et je ne comprends toujours pas. Comment ça pourrait être une punition que Nicolas « m'aime beaucoup, passionnément, à la folie » ?

Belinda et moi, on a passé les deux derniers jours à guetter son passage, sur la pelouse en avant de chez elle ou de chez moi. On n'a à peu près rien fait d'autre. On se relayait même pour aller aux toilettes.

Exaspérées, on s'est décidées à faire le tour du bloc pour passer, genre innocemment, devant la maison des Laporte. Ça a pris trois tours avant de s'avouer qu'on avait l'air débile et que Nicolas n'était pas là.

Aujourd'hui, Belinda a affirmé que c'était assez. Fallait que je me change la météo des idées grises. On irait jouer à l'élastique chez Marie en mangeant des biscuits soda avec du Cheez Whiz.

C'était tentant, mais j'étais convaincue qu'il se déciderait à apparaître pendant mon absence. À la pêche, avec mon père, c'est pareil. L'espoir est plus fort que tout le reste, le froid, la faim, la fatigue. Le prochain lancer, le prochain spot, le prochain leurre, le prochain troll vont être les bons.

Belinda m'a dit d'arrêter de capoter.

— De toute manière, il pleut. On peut quand même pas rester ici à l'attendre, d'autant plus qu'il ira sûrement pas dans l'bois aujourd'hui... Damn, girl, be realistic!

— Ma face de carême, c'est quoi si c'est pas realistic? Tu vois pas que la réalité a transformé mon rêve stratosphérique en crotte d'oiseau?

— J'comprends rien à ton histoire de crotte d'oiseau, viens-t'en!

Belinda avait quand même des arguments convaincants – l'élastique, le carport, les biscuits soda, le Cheez Whiz, la pluie –, mais ça ne faisait pas le poids. Je serais punie pour avoir abandonné, pour avoir douté et perdu la foi. Le Bon Dieu me le ferait payer.

À notre arrivée, Marie nous attend dehors.

— Oupsi, Julie! Tu t'es pas manquée!

— Merci de m'le rappeler...

— Ben c'est dur de faire autrement.

— OK, c'est beau. On joue-tu, là?

Elle allume la radio et place l'élastique entre deux poteaux du carport. Elle étrenne une autre belle jupe portefeuille cousue par sa mère. Je meurs d'envie qu'elle m'en fasse une. Ça me gêne de lui demander. Ma mère paierait le tissu et le patron, c'est sûr.

La mère de Marie est toujours bien habillée et bien coiffée. Rien d'extravagant. Tout en elle est droit, son port de tête, son dos, sa jupe. La mienne s'empresse de se changer en rentrant du bureau. Elle enfile invariablement un kit mou affreux, élimé, couleur murs d'hôpital, avec des espèces de pantoufles en faux cuir et talons compensés achetées chez Zellers.

En plus de faire de la couture, la mère de Marie chante aux messes. La chorale et l'orgue, avec les peintures, les vitraux et Jésus sur sa croix adoucissent ma torture du dimanche. Ma mère, elle, n'a le temps de rien. Elle est secrétaire dans un complexe d'appartements pour petits vieux. Parfois, je vais avec elle passer l'aspirateur dans les couloirs en remplacement du concierge malade. Je trouve que la vieillesse pue. L'odeur de la soupe poulet et nouilles Lipton se mêle mal à celle de la peau molle et sèche.

L'autre soir, couchée, j'entendais ma mère parler dans la cuisine avec mon père. Elle envisageait de postuler pour devenir directrice de sa place de petits vieux. Elle s'inquiétait de ne pas parler assez bien anglais, de ne pas savoir composer les lettres officielles, d'avoir plus de responsabilités, plus d'heures à faire…

Ça me mettait mal à l'aise de sentir entre les lignes qu'elle ne se trouvait pas bonne et qu'elle n'était pas sûre de pouvoir compter sur mon père. Il lui a dit de ne pas s'en faire, de poser sa candidature, qu'il allait l'aider. Je n'ai pas eu l'impression que ça l'avait rassurée. J'ai entendu ma mère mettre un verre dans l'évier, et mon père, tourner les pages du journal.

J'adore jouer à l'élastique. Plus les enchaînements sont complexes, meilleure je suis. On s'empiffre de biscuits soda et on fait du lipsync déchaîné sur *Illégal* de Corbeau.

*Illégal, quand y faut que j'te cause, c'est comme une overdose, tu m'ronges l'épine dorsale, toé mon organe vital, faut tu que j'te l'dise en secret, c'est toé qui m'fais de l'effet…*

Tout ça, j'aurais envie de le chanter à Nicolas.

En fin d'après-midi, maintenant que la pluie a cessé, on décide d'aller voir si les autres sont chez Bruno, en passant directement par sa cour, qui débouche, comme chez nous, sur le champ. À mesure qu'on s'approche, on les entend déconner. Marie et Belinda s'amusent à deviner ce qu'ils font.

Moi, je ne peux pas m'empêcher de penser que c'est le premier été sans le rire de Dominic. Je ne suis sûrement pas la seule à le remarquer, mais personne n'y a plus jamais fait allusion après la nuit des gyrophares. Il y a eu l'histoire de Chantal, reprise par l'un ou par l'autre, pendant quelques jours seulement, et c'est tout. Très vite, plus rien ne s'est dit. Ni par les parents ni par les enfants. Pas même au moment de l'enterrement. La vie continuait avec, pour moi, des éclairs de douleur inattendus causés, comme aujourd'hui, par le rappel de sa mort dans l'absence de son rire.

Belinda, Marie et moi arrivons chez Bruno. Et le voilà, Nicolas est là, avec Chantal et son rire d'épaisse. Je savais que je serais punie. Ça ne pouvait pas être pire. Rangez les violons, je me désintègre sur place.

Bruno nous salue.

— Hé! Les filles! Qu'est-ce vous faites? Shit, Julie, t'es maganée!

Chantal touche le bras de Nicolas. Chantal parle à l'oreille de Nicolas. Chantal fait rire Nicolas. Nicolas regarde Chantal. Nicolas écoute Chantal. Nicolas ne repousse pas la main de Chantal. Nicolas rit avec Chantal. Nicolas ne s'éloigne pas de Chantal. Nicolas ne me remarque pas.

On reste plantées les pieds dans le foin rêche et mouillé. Belinda me regarde, inquiète. Marie nous regarde, incrédule.

— On y va pas?

J'arrive à articuler tout bas: «J'suis désolée, j'ai oublié, ma mère m'a demandé de préparer l'souper.» Je réussis à faire trois pas à reculons avant de courir avec mes jambes molles vers l'île, en faisant un grand détour par la track pour qu'on ne me voie pas de chez Bruno.

Enfin à l'abri, je pleure tous les scénarios inventés, toutes les heures perdues à songer à lui. Je pleure d'avoir rêvé si grand, d'avoir imaginé qu'il ait ressenti la même chose que moi en ma présence et en mon absence.

Je sors la couverture de sa cachette et trouve entre les plis un bout de papier : « C'est à moi que tu pensais en effeuillant les marguerites ? »

## CHAMOIRÉ

Pendant que mon petit frère tourbillonne comme une mouche à marde en répétant qu'il a *faim*, qu'il a *vraiment faim*, qu'il a *vraiment, vraiment faim*, ma mère me présente des échantillons de tapis.

Les divisions de ma chambre au sous-sol sont terminées. Les fenêtres sont posées. Ne manquent que les panneaux en préfini et le tapis. Le choix de l'un n'allant pas sans l'autre.

Je veux le même que mon grand frère, blanc crème, avec un sous-tapis moelleux comme un nuage.

— Es-tu folle?

Malgré les apparences, ce n'est pas une question. Ma mère fait la nomenclature de mes manquements ménagers.

— Ta chambre est un bordel pas possible, tu colles tes gommes partout, tu laisses traîner d'la bouffe, c'est sale, ton tapis restera pas blanc longtemps, c'est non! D'ailleurs, si tu la ramasses pas bientôt, ta chambre, ton père va s'faire un plaisir d'y passer le bulldozer!

Inutile d'argumenter. Ça ne changerait rien de lui promettre que ce serait différent dans ma nouvelle chambre. Je n'envisage même pas de lui demander : «Pourquoi mon frère et pas moi?» Je sais exactement pourquoi lui et pas moi.

Parce qu'Alain, l'échalas, est un émule de ma mère, Madame Blancheville qui, elle, doit se battre contre les tendances bordéliques de son mari, de son fils cadet et de sa fille unique pour faire régner un certain ordre. Sa vie est un perpétuel combat ménager.

La déco de la chambre de mon grand frère est minimaliste : futon à même le tapis blanc crème, tourne-disque, ampli-égaliseur, speakers, affiche de Lamborghini rouge et garde-robe pleine de vinyles bien classés. Et c'est aussi propre qu'un bloc opératoire.

L'échalas est à ce point freak qu'il met des gants de coton blanc pour manipuler ses disques. Clair qu'il est affecté d'un trouble obsessif-compulsif. Dans les endroits publics, il refuse que sa peau touche aux rampes d'escaliers, aux poignées de porte, aux robinets... D'après moi, s'il n'a pas encore de blonde à presque dix-neuf ans, c'est qu'il craint un empoisonnement bactérien. Dans sa tête, un french doit équivaloir à un échange de fluide hautement toxique.

L'échalas a l'affection changeante et l'amour sadique. Quand il ne m'ignore pas et ne chiale pas après moi, il s'amuse à me torturer, surtout en l'absence de nos parents.

Il me chatouille jusqu'à l'asphyxie, me met du dentifrice dans les yeux, me frappe avec le linge à vaisselle mouillé, m'étouffe avec des oreillers… Je me venge en chantant avec les publicités de la télé. Ça le rend fou.

Quand il est d'humeur à aimer sa sœur, il m'invite à écouter de la musique. Il prend très au sérieux son rôle de redresseur musical. Ça le décourage de me voir triper sur *Hey Mickey* de Toni Basil. Il s'est donc donné pour mission de faire mon éducation. Moi, je ne vois pas de problème. Aimer Honeymoon Suite ne m'empêche pas de triper sur Pink Floyd ou même Charles Aznavour, comme mon père. Tout dépend de mes envies et des circonstances. Il y a une place pour chaque chose et chaque chose a sa place. C'est pareil avec la musique. Alain dit que je ne comprends rien.

J'aime quand il m'invite. Il tamise les lumières, et c'est parti pour l'album au complet. Je me suis découvert un penchant pour les longues pièces un peu dark. Pendant nos sessions d'écoute, mon frère m'a fait connaître Rush, The Doors, Led Zeppelin, Pink Floyd, Genesis, Styx, Yes, Jethro Tull, Deep Purple et… David Bowie.

Comme Diane Dufresne, Bowie est extravagant, théâtral, mélancolique et me fait me sentir moins seule. Je suis loin d'être extravertie comme eux. Passer inaperçue est plutôt ce que je sais faire de mieux. Avoir les yeux et les cheveux bruns ordinaires comporte des avantages. Mais c'est comme si la folie de Dufresne et de Bowie me permettait de croire que je pourrai être, un jour, ce que je veux, comme je le veux, sans avoir à m'en excuser ou à m'en expliquer.

Je regarde ma mère, en attente d'une réponse au sujet du tapis, et je ne sais pas. J'ai également mis du temps à savoir quoi répondre à la question de Nicolas. Ça m'a fait paniquer de comprendre qu'il m'avait espionnée pendant que Belinda et moi, on traversait le terrain vague pour aller chez Marie. Il avait dû nous suivre en longeant la track, et je m'inquiétais de ce que j'avais dit ou fait. Depuis, j'ai toujours l'impression d'être espionnée.

En même temps, j'étais renversée par son audace, digne d'un héros de film d'amour. S'il avait pris la peine de me suivre, de m'écrire un mot et de le cacher à l'île pour me demander si je pensais à lui en effeuillant des marguerites, ça devait vouloir dire quelque chose. Il ne m'en fallait pas plus. Mon rêve a repris de l'altitude.

En réfléchissant à ma réponse, j'ai un peu déchanté. Dans le fond, il n'est vraiment pas cool. Lui ne se mouille pas clairement, et moi, je dois me dévoiler en répondant à sa question ? Il me fait poireauter, il m'espionne, regarde Chantal, n'enlève pas le bras de Chantal, ne s'éloigne pas de Chantal, rit avec Chantal, et il faudrait avouer que je pensais à lui en récitant «beaucoup, passionnément, à la folie»?

Je ne veux pas qu'il croie que je ne pensais pas à lui et je ne veux pas qu'il sache que je pensais à lui. J'ai opté pour une réponse de type «terrain vague» et j'ai écrit sur le bout de papier que j'ai remis dans la boîte: «Je pensais à rien.»

Je me lève et me dirige vers ma chambre en désignant l'échantillon du dessus. Ma mère s'en réjouit.

— Parfait!

Évidemment. C'est chamoiré, ni tout à fait brun, ni tout à fait beige, ni tout à fait blanc.

Comme ma réponse: ni tout à fait oui ni tout à fait non.

## PEAU

— J'te crois pas.

Je n'ai pas besoin de contexte. Je sais très
bien à quoi il fait référence. Nicolas a lu ma
réponse sur le bout de papier à l'île.

Je traversais chez Belinda quand je l'ai
vu avec Nanook et Jo. J'ai toujours Dominic
dans un coin de mes pensées, et en présence
de Jonathan, ça devient insupportable.
Je revois la scène décrite par Chantal à
travers ses yeux d'enfant. J'aurais envie de
le bombarder de questions. Lui pourrait me
dire ce qui est arrivé pour vrai. Avant d'aller
se cacher sous le lit de son frère, il a bien
vu quelque chose, non ? Je me retiens. Il est
si petit et sans défense. Je voudrais surtout
le prendre dans mes bras et pleurer avec
lui.

Entre mon malaise devant Jo et ma nervosité
devant Nicolas, je ne sais pas quoi faire avec
mon corps. Mes bras sont longs, mes jambes
molles, ma gorge sèche. C'est la première fois
qu'on se reparle depuis l'île, juste avant son
départ et notre baiser échangé – dans ma tête
– par le biais d'un Lik-a-Stix.

— J'te crois pas… Viens, on s'en va marcher.

Je n'ose pas lui dire que Belinda m'attend. Après avoir traversé la track, à l'orée du boisé, il laisse courir Jonathan et libère Nanook. J'aime venir ici. J'entre dans un autre univers. Au milieu du champ, je me sens exposée au cru du soleil, du vent, de la pluie. Des regards. Ici, je suis enveloppée, protégée, cachée. L'odeur, l'air, la lumière, le son… tout est différent. Certaines choses s'atténuent tandis que d'autres s'accentuent. Les arbres se dressent devant le ciel et l'horizon, devant le monde. Je m'y sens en sécurité, je m'y sens à l'abri.

Nicolas s'arrête et se tourne vers moi.

— J'te crois pas, j'le crois pas que tu pensais à rien, regarde-moi, j'te crois pas, parce que moi, j'pense à toi tout l'temps…

Les billes noires de ses yeux m'avalent, et ses mots résonnent en écho dans mon cœur affolé. «… parce que moi, j'pense à toi tout l'temps… parce que moi, j'pense à toi tout l'temps…»

Il se remet à marcher, rappelle à Jonathan de ne pas trop s'éloigner, et je le scrute, incertaine d'avoir réellement entendu ces mots, qui, pourtant, continuent de palpiter dans mes veines… «parce que moi, j'pense à toi tout l'temps…»

On avance côte à côte, dans le bruissement caressant du vent dans les feuilles, qui semblent

reprendre en chœur et par-delà la cime « …
parce que moi, j'pense à toi tout l'temps… »

— Nico… Mes lacets sont détachés…

« … parce que moi, j'pense à toi tout
l'temps… »

— Ben voyons, ti-cul, t'es capable, t'es grand
maintenant…

« … parce que moi, j'pense à toi… »

— Oui, mais j'veux que tu l'fasses, bon !

« … parce que moi, j'pense à toi… »

— OK, OK !

Pendant qu'il s'exécute à genoux, Nanook
vient jouer du museau entre les petits pieds de
Jonathan. Je remarque sur la nuque de Nicolas
une série de grains de beauté. J'aurais envie de
les relier à l'aide d'un crayon comme lorsque,
enfant, on nous apprenait à compter. Je me
rappelle encore ma joie en découvrant les
dessins formés par les chiffres mis bout à bout.

Jo se met à courir.

— Nanook, attends-moi !

Nicolas se relève et fait glisser sa main
dans la mienne, comme si c'était pour lui le
geste le plus naturel du monde. Tout autour
s'éteint, se tait, disparaît. N'existe que ma
peau troublée et mon souffle pantelant dans
le creux de cette main réconfortante.

À mesure que le choc s'estompe, la peur
s'avance. Mes doigts tremblants, entre les
siens assurés, appréhendent le moment où
l'étreinte se relâchera.

Je marche à ses côtés, entre peur et ravissement, dans la répétition de ses mots et la sensation de sa peau contre ma peau.

## LES APPARENCES SONT TROMPEUSES

Couchée dans mon lit, j'écoute l'engoulevent crier, entre les claquements du gun à clou de mon père au sous-sol. J'imagine l'oiseau plonger au-dessus du champ dans le jour tombant. Tout le monde s'émerveille devant le cardinal rouge, le geai bleu ou le colibri. Moi, j'aime le cri strident et le vol erratique de l'engoulevent.

En revenant du boisé, je me suis arrêtée chez Belinda.

— T'étais où ? T'étais même pas chez vous !

Ce n'était encore jamais arrivé qu'elle soit fâchée pour vrai contre moi. J'étais gênée de lui avouer que je l'avais laissée tomber pour Nicolas.

Belinda a finalement décidé d'aller donner, sans m'attendre, le cadeau de Carmelle, qu'on avait fait ensemble, avec un panier de pêches vide et des Kleenex en forme de fleurs. Belinda dit que Carmelle était contente, qu'elle le garderait sur la table à langer et s'en servirait pour y mettre la poudre, la crème, les couches, des trucs du genre. J'étais déçue, mais c'est tout ce que je méritais après lui avoir fait faux bond.

Belinda a pu prendre Mathieu. Il pèse dix livres, et tout a bien été. Tant mieux parce que dix livres, ça doit faire mal par où ça passe. Je maintiens mon point. Ça ne peut pas être comme dans le livre de la naissance expliquée aux enfants.

Quand je suis rentrée, ma mère était déjà en mou, l'échalas, dans sa chambre, l'autre, dans mes jambes, et mon père arriverait plus tard, par le train de six heures.

Tout était normal, sauf moi.

En apparence, je l'étais. J'épluchais des patates, je mettais la table... J'étais physiquement dans la même pièce que ma mère, en train de faire des gestes quotidiens, tout en étant avec Nicolas dans le bois.

Je rêvais en silence, sans même que ma mère ne remarque quoi que ce soit. Que rien ne transparaisse, c'était tant mieux. Je n'allais pas me faire poser de questions. Et, si on m'en avait posé, est-ce que j'aurais attendu qu'ils soient tous assis devant leur assiette de patates pilées et de steak haché noyés de gravy pour déclarer : « Voilà, je suis amoureuse folle de Nicolas sans h, dix-sept ans, cousin de Jonathan et Dominic, mon ami mort pendu, et, aujourd'hui, sa main a touché la mienne, aujourd'hui, j'ai senti contre ma peau la peau d'un garçon qui n'est ni mon père ni mon frère, et un monde inconnu s'ouvre devant moi » ? Non, je ne pense pas.

Chez nous, des épanchements du genre, ça n'existe pas. Tout ce que je sais de l'amour, et ce n'est pas grand-chose, je l'ai appris avec la télé, les films, les livres, les paroles de chansons et les commérages de la cour d'école. Mes parents n'auraient rien compris de toute façon à ce que je ressentais. Ils auraient juste sauté un plomb sur notre différence d'âge.

En plus, cette histoire m'appartenait, c'était juste à moi. J'ai choisi de ne pas tout dire à Belinda. Je n'avais pas le goût de résumer ça bêtement avec des mots vides et décevants, des mots qui dilueraient l'intensité de ce que j'éprouvais. Quand je les garde prisonnières, mes pensées prennent de la vitesse et de la force. Elles tournoient dans le silence de mon corps, et j'aime ça.

En me quittant, il m'a fait promettre de le rejoindre à l'île demain soir, après le souper. J'ai promis.

Dans moins de vingt-quatre heures, j'entendrai l'engoulevent avec lui.

## COMBLEMENT

Cinq minutes nous séparent. Entre ma maison et l'île, cinq minutes de marche. Après des heures d'attente agonisante, je traverse le champ. Mon corps en manque de sa présence s'électrise au rythme de mes pas.

Je me demande s'il m'espionnera à travers les feuillus, s'il m'attendra debout ou assis. S'il me prendra la main.

L'heure du souper m'a paru encore plus pénible qu'à l'habitude. Alain avait le nez dans son assiette, Silvain refusait de manger, et mon père essayait d'avoir une discussion avec ma mère, qui, elle, n'arrêtait pas de se lever pour sortir le ketchup, verser un verre de lait, ramasser une fourchette, donner du pain, ouvrir le pot de margarine, tout en tentant de convaincre mon petit frère d'avaler son souper au lieu de s'en barbouiller.

Et moi, je désespérais devant la montagne de vaisselle qui m'attendait. De ma place attitrée, j'ai une vue imprenable sur le comptoir et sur la fenêtre par laquelle je rêve souvent de m'envoler pour planer avec l'engoulevent, loin, loin, au-dessus de cette famille, de cette maison, de cette rue style- rond-point-cul-de-sac.

Le supplice a fini par finir, comme d'habitude, dans un soulagement unanime. Ma mère a décrété que ça prenait un bain à Silvain. Mon père s'est éclipsé au salon. Alain et moi, on s'est attaqués à la pile d'assiettes et de chaudrons. Ça en fait, de la vaisselle sale, le pâté chinois. Au moins, ça se mange vite.

Je pouvais entendre Genesis jouer dans les écouteurs de mon frère. Je rêve du jour où je vais pouvoir, moi aussi, m'acheter un walkman. Faire la vaisselle sera moins plate avec de la musique dans les oreilles. Tout est mieux avec de la musique. Elle décuple la joie, apaise la peine, accompagne la solitude, adoucit les déprimes.

En général, Alain lave, moi j'essuie. Choisir fait partie de ses privilèges d'aîné. Je ne m'obstine pas. Il a de la pratique dans le lavage. L'été, il est plongeur à la Rôtisserie Charron, de l'autre côté du pont. Il rêvait d'intégrer l'armée, mais on l'a refusé à cause d'un souffle au cœur et de sa maigreur.

Il étudie en photo au cégep. Parfois, je lui sers de cobaye pour ses tests. Il me rappelle toujours que je n'ai rien d'une top-modèle et de ne pas m'enfler la tête. Je suis son sujet par dépit. Il dit que les sujets ne courent pas les rues, surtout pas la nôtre, et c'est plus simple vu que je suis sa sœur et que je fais ça gratis.

Moi, je pense que c'est moins gênant pour lui de scraper une photo de sa sœur que celle d'une top-modèle. Je le rassure : pas de danger que je m'enfle la tête, les filles de ses revues *Photo* signalent mon plus qu'ordinaire à chaque page. Elles sont bien trop belles et bien trop sexy. C'est déprimant. Je ne vois pas le jour où j'arriverai un tant soit peu à leur ressembler. Ce n'est pas toujours vrai que quand on veut, on peut.

Une fois notre tâche terminée, j'ai crié que je partais, que je ne reviendrais pas tard. Ma mère ne s'inquiète pas, même quand je rentre à la noirceur. Ici, le seul danger : les mouffettes qui rôdent le soir. Et puis elle est tellement habituée que j'aille chez Belinda, ou chez Chantal, ou chez Bruno ou, avant, chez Dominic, qu'elle ne prend plus la peine de me demander où je vais, et c'est tant mieux. Je vis dans le déni du fait qu'ici, tout finit par se savoir.

Alors que je suis presque à l'île, je crains tout à coup qu'il ne soit pas là, qu'il se rie cruellement de moi. Il m'aurait fait promettre de le rejoindre en sachant qu'il n'y serait pas. Il montrerait d'un doigt moqueur la jeune fille aux seins plats qui attend un garçon qui ne viendrait pas.

Mon espoir l'emporte sur ma peur, et je me fraie un chemin entre les branches. Il est là. Il reste là. Debout. Je suis là. Je reste là. Debout.

Nos yeux et nos lèvres se sourient. Il avance, tranquille et assuré, alors que mon cœur s'électrise au milieu de mon corps tétanisé. Il me soulève et me serre d'une étreinte tendre, qui apaise toutes mes questions, mes doutes, mes angoisses. Je m'abandonne dans cet enlacement immobile, pieds dans le vide et bras frêles autour de son cou.

À cet instant, moi, jeune fille complexée de douze ans, je suis habitée d'une confiance surprenante. Ces bras font naître la conviction que je ne serai plus jamais seule à l'intérieur. Je n'ai pas les mots pour le dire, mais je le sens, je le sais.

Le comblement existe, il est dans le calme et le tumulte aimants des bras de Nicolas.

## FOURNITURES SCOLAIRES

Voici les phrases préférées de ma mère, Madame Blancheville, control freak : « Tant qu'à faire, on le fait bien », « Ce qu'on commence, on le finit », « Pourquoi remettre à demain ce qu'on peut faire aujourd'hui ? »

Elle les martèle pour les faire rentrer dans la tête de ses enfants désespérants. C'est loin d'être gagné. Oui, pour rentrer, ça rentre, mais ça rentre par une oreille et ça sort par l'autre. C'est ce qu'elle dit, découragée. On tourne la plupart du temps les coins ronds, on finit rarement ce qu'on commence et on remet systématiquement à plus tard ce qui ne nous tente pas.

C'est dans cet ordre d'idées qu'elle m'annonce que les achats pour mon entrée au secondaire se font aujourd'hui.

— Quoi ?! Déjà !

On a encore en masse de temps. Pour ça, en tout cas. Parce que du temps, avec Nicolas, je n'en aurai jamais assez. Avec lui le mot « toujours » semble trop court. J'avais d'autres plans, moi, comme rejoindre Nicolas à l'île plus tard. C'est samedi, et il est en congé de gardiennage.

J'entre en mode panique.

— Je reviens dans dix minutes…

— Ben là! On part!

— J'vais faire ça vite!

Je claque la porte. Je l'entends crier : «T'es pas du monde depuis que tu t'tiens avec ce garçon!»

Elle me tape. Comme si elle était du monde, elle.

Je manque de m'enfarger sur les camions Tonka de mon petit frère.

— Tu parles d'une place pour jouer!

— Où tu vas? J'veux venir avec toi!

— Fous-moi la paix!

En temps normal, j'adore aller chercher mes affaires d'école avec ma mère. Cette période de l'année est une de mes préférées. Ça sent le renouveau, et c'est plein de promesses. Devant l'enthousiasme que mes cahiers neufs m'inspirent, je suis toujours convaincue que cette fois, c'est la bonne : je vais être moins bordélique, je vais prendre soin de mes choses, je vais arrêter de me ronger les ongles, je vais prendre plaisir à faire mes devoirs, je vais péter des scores…

Mais rien n'est normal. Plus rien ne sera jamais normal. En moi vivent mur à mur mes souvenirs de Dominic et mes pensées de Nicolas. Je porte en moi un mort et un vivant.

Après ce qui s'est passé à l'île, après ses bras autour de moi, Nicolas garde ses distances en présence des autres. Ça me fait de la peine en même temps que mon affaire. Cette jeune fille que je découvre, je veux la partager juste avec lui. Dévoiler à mes amis une Julie qu'ils ne connaissent pas me gênerait trop. Et, s'ils savaient, ils ne comprendraient pas et diraient toutes sortes de niaiseries. C'est mon secret. C'est notre secret, à lui, à moi et un peu à Belinda.

Le regarder de loin m'offre une perspective inédite. Je parais tout entière absorbée par une conversation, alors que mes yeux aiment comment ses mains attrapent le ballon de foot, aiment comment il jette la tête par derrière en riant, aiment comment ses cheveux volent au vent, aiment comment sa langue mouille ses lèvres. Et, quand son regard croise le mien, mon ventre reçoit une décharge intense de bonheur.

À d'autres moments, je parais tout entière absorbée par une conversation alors que je souffre et je dérive. Il m'ignore et préfère s'amuser avec les autres filles. Je reste dans cette souffrance, à espérer qu'il revienne vers moi. Je mendie en silence son attention. Je me sens ridicule de me décomposer comme ça.

Nicolas me traverse et me chavire. Il tient mon corps et mon cœur en otage.

Je cours jusqu'à l'île. Au moins, lui laisser une note pour expliquer ma désertion, lui dire que c'est la faute de ma mère et de mes fournitures scolaires. J'aimerais lui demander qu'il ne m'oublie pas, j'aimerais lui écrire qu'il me manque déjà. Je ne le fais pas.

## N. H. + J. B.

Ç'a été tellement pénible, le magasinage. Je n'arrêtais pas de penser à Nicolas. Je m'inquiétais de savoir s'il était à l'île, s'il avait vu mon mot, s'il était déçu, s'il était indifférent, ce qu'il avait fait à la place... Des tonnes de questions torturantes qui s'accordaient mal à une journée au Mail Montenach avec ma mère.

Moi qui pensais que ça irait vite. Après tout, elle avait sûrement mieux à faire de son temps, comme du ménage ou du lavage. Eh non. Pour une rare fois, ma mère ne semblait pas pressée. Elle m'a même annoncé, pensant me rendre de bonne humeur, qu'on allait regarder le linge pour la rentrée. Son inhabituelle patience aggravait mon état intérieur. J'avais envie de crier.

Je n'ai jamais été une fan de magasinage, mais là quelque chose n'allait pas du tout. J'avais l'impression de me voir en sous-vêtements pour la première fois dans le miroir d'une cabine d'essayage, sous un éclairage au néon.

Les yeux de Nicolas s'étaient substitués aux miens pour aggraver mes seins absents,

mes genoux par en dedans et mon gros cul.
Je me sentais laide déshabillée, je me sentais
laide habillée. Ce n'était pas possible qu'il
s'intéresse à moi, pour vrai. Les sœurs aînées
de Chantal ou de Marie seraient des choix plus
logiques à cause de leur âge et aussi de leurs
jambes effilées dans leurs jeans serrés.

Peut-être que je devrais m'inscrire à un
cours de charme et de personnalité. Dans le
journal d'aujourd'hui, trois femmes affirment
qu'elles y ont trouvé une solution à leur « mal-
être dans la peau ». Ça pourrait m'aider, c'est
sûr.

L'une d'elles, âgée de seize ans, explique
que le cours lui a montré à « se voir inté-
rieurement » et à « se découvrir ». Elle a appris
à savoir quoi dire et ne pas dire en toutes
circonstances, comment se comporter à table,
comment s'asseoir sans frotter ses fesses, quoi
faire pour ne pas choquer son partenaire,
comment écouter, comment se taire si on
nous reproche une erreur, comment s'isoler,
lire ou écrire si on est énervée. Elle termine
en disant : « Je suis contente d'avoir changé,
d'être passée de petite fille à femme. »

Dans cette cabine d'essayage répugnante
du Zellers jonchée de moutons poussiéreux et
de papiers boudinés, j'ai compris que mon cas
est désespéré. Ça m'a donné envie d'accorder
ma déprime à *L'Heptade* d'Harmonium. La
fille du cours de charme et de personnalité a

appris à se « voir l'intérieur » mais moi, mon intérieur était bouleversé d'avoir vu mon extérieur. J'étais loin d'être une femme. J'étais une fille laide.

Au retour, malgré tout, je me suis empressée de m'éclipser à l'île. Je priais pour que Nicolas y soit encore. J'y suis arrivée poumons en feu, bras ouverts, cœur fragile. Il n'était pas là, et mon bout de papier, intact, à sa place. Je me suis assise, lasse devant la perspective qu'il n'avait pas vu mon mot et, pire, qu'il n'était même pas venu au rendez-vous. Et c'est là que j'ai remarqué sur le gros arbre mort tombé, qui nous servait de dossier, nos initiales gravées au milieu d'un cœur.

Le soulagement est l'une des sensations les plus puissantes du monde.

## HURT SO GOOD

Je laisse le silence de la maison de Carmelle avaler mes inquiétudes pendant qu'elle berce Mathieu, un beau bébé blond, visage rond. Elle me demande si j'ai hâte de commencer le secondaire.

Je ne dis pas à Carmelle que le début de l'école, c'est aussi le début de ma désespérance de ne plus voir Nicolas.

Je lui explique que «j'ai hâte, ça fait longtemps qu'j'attends ça, j'en pouvais pus de l'école de bébés, j'ai pas hâte parce que j'sais pas trop comment ça marche, le secondaire, y paraît qu'on change de classe et de professeur chaque période, c'est c'que dit Alain, qu'on va avoir un casier avec un cadenas, et moi, j'sais pas comment ça s'ouvre, un cadenas, faut faire un tour à droite, un autre à gauche, un autre encore, c'est mêlant, et j'ai peur d'oublier le numéro du cadenas, et c'est encore plus stressant parce qu'on doit faire notre première année à la PolyBel, alors on va avoir de l'école l'avant-midi, et les élèves de la PolyBel, eux, vont en avoir l'après-midi…»

— Ben oui, c'est vrai, ça, à cause du feu…

En mai, quelques semaines avant la fin de mon primaire, on sortait pour la récré, et toutes sortes de débris calcinés tournoyaient dans le ciel. La polyvalente Ozias-Leduc brûlait. Une mauvaise expérience dans un cours de chimie ou quelque chose du genre.

Je ne sais pas pourquoi ça m'est venu, mais j'ai pensé en regardant pleuvoir la cendre que j'allais avoir trente ans en l'an deux mille. Je me suis demandé si rendu là le monde ressemblera à une poly qui brûle, si on portera *un numéro dans le dos et une étoile sur la peau*, comme dans la chanson *Monopolis*.

En attendant une école neuve, on se retrouverait donc à Belœil, à croiser du monde qu'on ne connaissait pas. On serait des intrus, et je n'aimais pas l'idée.

— En plus, j'sais pas trop comment j'vais m'habiller la première journée.

Ça m'angoissait pour vrai.

— Pour ça, j'ai juste un conseil : mets des vêtements dans lesquels tu vas t'sentir bien…

Ça ne m'avance pas. Belinda, elle, porte un uniforme. La question ne se pose pas. Mais, pour moi, le choix est crucial. Même dans la petite école primaire du village, il s'est formé des gangs. Au secondaire, il y en aurait aussi, c'est sûr.

Je ne vise pas nécessairement la gang des cools. Les cools sont souvent riches. Les riches, les moyens et les pauvres, ça ne se mélange généralement pas. Ma mère se fait un devoir de me le rappeler. Ma seule ambition, c'est de ne pas faire partie des loosers. Et un mauvais choix de vêtements pourrait être fatal.

J'aurais aimé poser d'autres sortes de questions à Carmelle : est-ce normal de penser toujours à Nicolas, que la première et la dernière pensée de la journée lui soient dédiées et toutes celles entre les deux, même quand je dors ? Est-ce normal d'être attristée par ses critiques de mes ongles rongés ou de mes cheveux trop courts ? Est-ce normal d'oublier ma peine et ma déception lorsqu'il me regarde en souriant ? Est-ce normal qu'il contrôle le bouton de mon bonheur et de mon malheur ? Est-ce normal qu'il ordonne et désordonne mon univers ? Est-ce normal que ses mots et ses silences pénètrent intensément ma peau et mon cœur ? Est-ce normal qu'il me torture et m'apaise, qu'il me fasse et me défasse ?

— Comment t'as rencontré ton mari ?

Ma voisine Luce, je sais comment elle a connu Paul, elle en parle tout le temps, de son *Paulo*, avec des étincelles dans la voix et des sourires dans les yeux. Selon elle, c'était une rencontre miraculeuse, sa destinée déguisée en hasard improbable puisqu'elle est tombée sur lui, parmi les milliers de visiteurs de l'Expo universelle de 1967. Son histoire était l'incarnation de la chanson de Beau

Dommage : *En 67, tout était beau, c'était l'année de l'amour, c'était l'année de l'Expo.* Trois enfants plus tard, ils s'aiment autant.

Mes parents, eux, ce n'est pas clair. Ils ne parlent jamais de leur rencontre. Ma mère détourne mes questions. Elle pense que je ne me rends pas compte de son malaise. La robe de mariée de ma mère, rangée au sous-sol, est bleu marine. Je pensais qu'on se mariait toujours en blanc. Ma mère dit que non, pas toujours, sans rien ajouter de plus devant mon air perplexe. Je ne pourrais pas affirmer qu'après trois enfants, mes parents s'aiment autant ou qu'ils s'aiment tout court.

— Je l'ai rencontré grâce à un ami qu'on avait en commun. La semaine suivante, il m'a invitée à un spectacle de Jacques Michel. On s'est fréquentés comme ça et on s'est mariés, voilà !

Pas le genre de Carmelle de faire de grands gestes et de sourire à pleines dents. Je me demande quand même où sont les frissons et les papillons. Si elle me conseille platement de choisir des vêtements qui me feront sentir bien pour la première journée de la rentrée, si elle me raconte de cette façon son histoire d'amour, elle ne pourrait assurément pas approuver que je sois si chamboulée.

Ce n'est peut-être pas normal tout ça, avec Nicolas, mais c'est là, c'est en moi, c'est plus fort que moi.

Et, même quand ça me fait mal, ça me fait du bien.

IV

## LES LÈVRES DE NICOLAS

Je le regarde, souffle court, cœur chaviré, incapable de le déchiffrer. Après toutes ces semaines que j'ai passées près de lui, Nicolas vient de m'embrasser pour la première fois. Un baiser doux, tumultueux, brûlant.

À partir du moment où il a glissé entre ses lèvres le Lik-a-Stix lors de notre première vraie rencontre à l'île, le lendemain de la scène humiliante de *Let's Get Physical*, j'ai espéré et attendu cet instant, dans la crainte de mon inexpérience et dans la fascination de sa bouche invitante.

Après le souper, je suis allée rejoindre Nicolas chez Michel. Il m'a invitée à l'intérieur. J'ai préféré l'attendre dehors. Plus question, jamais, d'entrer dans cette maison. Il a mis Nanook en laisse, et je l'ai suivi en direction de la track. En passant devant chez nous, j'ai entendu ma mère crier après Silvain et j'ai vu le père de Belinda devant sa télé. Nicolas a bifurqué vers la droite et j'ai fini par comprendre qu'on se dirigeait vers le cimetière. C'était la première fois que je visitais Dominic sans être seule.

En chemin, j'ai fait un bouquet. Je n'ai encore jamais croisé les autres qui viennent déposer des fleurs, des plantes, et autres trucs du genre sur la pierre de la personne décédée. J'ai remarqué deux sites où la terre avait été récemment retournée. La chaleur des derniers jours l'avait asséchée. Je me demande où on va mettre les morts quand le cimetière va être plein.

Nicolas savait où se trouvait Dominic. Il devait sûrement être présent à l'enterrement. Je n'ai pas osé en parler de peur qu'il me demande pourquoi, moi, je n'y étais pas. Ma boîte de cigarettes Popeye a disparu. Je me suis sentie tout à coup épaisse avec mes fleurs sauvages déjà presque fanées. Nicolas et moi, on est restés debout, devant la pierre tombale, chacun dans nos pensées. Après un long moment, il a pris ma main et a dit tout bas : «J'sais que t'étais son amie, j'm'ennuie de lui aussi… »

Mes yeux se sont remplis de larmes et ont débordé de mes paupières closes en grosses coulées trop longtemps refoulées. Quelqu'un, enfin, reconnaissait ma peine, quelqu'un, enfin, ne faisait pas comme si Dominic n'avait jamais existé, quelqu'un, enfin, portait avec moi le poids de son absence, quelqu'un, enfin, le gardait en vie aussi.

On s'est allongés, avec Dominic entre nous, dans un silence chargé de nos souvenirs, jusqu'au coucher du soleil, avant de revenir sur nos pas, en suivant le chemin de terre qui longe la track. Et c'est là que c'est arrivé. Juste avant de traverser le fossé, près de chez moi, Nicolas m'a attirée vers lui et a enfoui son visage dans mon cou. Et, avant que ça se produise, j'ai su : ses lèvres se glisseraient jusqu'à mes lèvres.

Et j'ai eu peur, et j'ai tremblé, et j'ai paniqué, et je me suis figée, tandis que mon corps se logeait dans ma tête, qui s'étourdissait de pensées et de sensations. J'avais déjà constaté comment mon cerveau a la capacité de s'emballer alors, par exemple, que j'ai une conversation. Je peux parler en même temps que ma petite voix intérieure monologue et que mon cœur reçoit les modulations de tous les cœurs présents.

Mais là ce n'était pas le moment. Quand un homme et une femme sont sur le point de s'embrasser à la télé ou au cinéma, ils semblent être complètement happés l'un par l'autre, totalement présents l'un à l'autre, entièrement concentrés sur ce qui est sur le point de se passer. Ils ne sont pas, comme moi, déconcentrés par ce qu'ils sentent, entendent, pensent.

À mesure que la bouche de Nicolas s'approchait de la mienne, j'entendais avec une fine acuité sa respiration calme, les battements fous de mon cœur, le cri de l'engoulevent, la brise dans les feuilles, les stridulations des criquets, le croassement des ouaouarons, le craquement de la branche, les halètements de Nanook. Je sentais l'odeur de sa peau, le parfum sucré des roses sauvages, l'aigreur de la fumée de la raffinerie, la suavité des dormants de la track qui relâchent la chaleur accumulée de la journée...

J'entendais et je sentais tout ça pendant que je repensais à mon premier presque baiser raté, à la bouche de Belinda sur mon avant-bras, à la possibilité de tomber sur une mouffette, à mon haleine, et à bien d'autres choses dont je ne me souviens plus quand les lèvres de Nicolas se sont posées sur les miennes pour tout faire court-circuiter. Et j'ai alors senti monter d'entre mes jambes une houle mystérieuse, qui s'est propagée dans mon ventre et jusque dans mon cœur prêt à exploser d'un trop-plein de papillons survoltés.

Et là je le regarde, cœur chaviré, incapable de le déchiffrer. Devant son calme, je m'inquiète d'avoir été inadéquate, avec mes lèvres offertes, prises entre le désir et la peur.

Tout dans ma vie en ce moment est marqué par cette double sensation. J'ai hâte et j'ai peur d'entrer au secondaire, je suis curieuse et j'ai peur d'avoir mes règles, je rêve qu'il m'embrasse encore et j'ai peur de la suite.

Avec lui, tout m'échappe.

Le champ, le ciel, le boisé, la montagne… Rien de cette vastitude ne m'effraie, ne m'inquiète. Elle m'est familière. Elle me connaît autant que je la connais. Les lèvres de Nicolas ouvrent en moi une immensité inconnue, qui m'attire et me donne le vertige. Il tend ses bras vers moi.

— Viens, allez, viens là…

Oui, je suis dans le désir et dans la peur, oui, tout de lui m'échappe, mais toute la peur du monde peut attendre.

Rien d'autre ne compte en ce moment que la démesure tendre des lèvres et des bras de Nicolas.

## SOURDINE

Mon père et moi, on fait ça des fois, des choses seulement nous deux, comme pour le show de Diane Dufresne. Il est pas mal occupé et il rentre tard, mais c'est déjà arrivé qu'on parte, par exemple, en canot-camping. Je me sens spéciale toute seule avec lui et je le trouve cool.

En dehors de son travail, il joue de la guitare, il dessine, il est animateur scout, il fait un jardin, il récolte même du miel. C'est rare, les pères qui récoltent du miel. Paul, le mari de Luce, et lui ont décidé d'installer des ruches dans le champ, derrière la maison. Ma mère n'était pas emballée. Elle a dit que c'était encore une de ses lubies, qui serait bientôt remplacée par une autre.

En attendant que ça lui passe, on se fait piquer plus souvent qu'à notre tour. Surtout ma mère quand elle étend une brassée. Toute la famille haït se faire piquer. Qui aime ça, d'ailleurs? Mon père m'a expliqué pourquoi une si petite chose peut provoquer une si grosse douleur : le dard hérissé de barbillons s'incruste dans la chair et la poche du venin continue de pulser après la fuite de l'abeille.

En plus, à mesure que le venin se répand, le dard s'enfonce. C'est important de l'enlever sinon ça continue de piquer.

Si mon père concède que ce n'est pas agréable, il reste insensible à nos cris de douleur. Piquer est à ses yeux un geste extraordinairement tragique pour l'abeille qui tombe raide morte. « Tu t'rends compte, pour elle, se défendre, ça équivaut à mourir. » C'est une autre façon de dire qu'il a plus pitié d'elle que de nous. Je me demande si l'abeille est consciente qu'elle court à sa mort en nous piquant. Et, en repensant à l'explication de mon père, cette autre question me prend de court : « Est-ce que Dominic est mort parce qu'il a voulu se défendre de quelqu'un ou de quelque chose ? » Cette question sans réponse s'est logée en moi, entre ma culpabilité, l'explication de Chantal et celle de mes parents.

Avant de récupérer les cadres des hausses, mon père enfile une combinaison blanche et un chapeau muni d'une moustiquaire qui fait tout le tour. Il a l'air d'un astronaute perdu dans un champ. Avec son enfumoir, il envoie des jets de fumée pour calmer les abeilles. Je l'observe de la fenêtre de ma chambre. Je l'aide parfois, mais pas quand il va chercher les cadres. Je me ferais trop piquer.

Il extrait le miel avec la centrifugeuse installée dans le sous-sol. Les abeilles tournent affolées autour de la maison. Elles ont butiné tout l'été les verges d'or, les fleurs de trèfles et de pommiers. Elles ne sont pas contentes qu'on vole leur butin, et ça se comprend.

J'aime quand mon père me fait le cadeau d'un bout de rayon avec des alvéoles dégoulinantes. Je croque la cire, et le miel m'emplit la bouche d'une douce caresse sucrée, qui ne se compare quand même pas aux baisers de Nicolas.

À la fin de la récolte, mon père dit toujours que les abeilles en connaissent plus que lui sur la fabrication du miel et ma mère, que c'est bien du trouble pour quelques pots à donner aux voisins.

Mon père est différent de ma mère. Il se fâche rarement. Il laisse ma mère crier. Peut-être qu'elle crie en masse pour deux parce que lui ne dit pas un mot. Ma mère lui reproche d'être la seule à faire la discipline. Elle lui en veut qu'il s'occupe seulement de ce dont il a envie. Parfois, il a une bulle au cerveau. Il pète une coche. Il sacre, et ça me fait peur. Je sens qu'il bouillonne, et ça me donne des frissons désagréables. J'essaie de me faire la plus petite possible.

Il y a environ quatre ans, il en a sauté une au sujet du bordel dans la cave. Outils, stock d'apiculture, équipement de camping, linge d'hiver, linge d'été, patins, matériaux de construction, trucs de hockey, vélos...

On aurait dit qu'il venait tout juste de s'apercevoir que *ça n'avait pas d'hostie d'allure, pas d'hostie d'bon sens, tabarnak!* Le reste de la maison – sauf ma chambre – est spic and span parce que ma mère s'en occupe, mais la cave – et ma chambre – est un dépotoir qu'elle *refuse de gérer.*

Il a tous fallu s'y mettre, même ma mère débordée avec son bébé. Personne n'osait parler. L'ambiance était nulle. Et c'est là que la radio a annoncé la mort d'Elvis Presley, le 16 août 1977, j'avais sept ans. Ç'a secoué mon père. Il est resté figé quelques secondes avant de se remettre à sacrer.

Moi aussi, j'étais remuée. Je ne manquais pas un film d'Elvis. Mon préféré, c'était *Paradise, Hawaiian Style.* Je rêve d'aller à Hawaï grâce à Elvis Presley et aux îles Fidji grâce à *L'impure* de Guy des Cars, même s'il y a des lépreux.

La dernière coche de mon père remonte à novembre dernier. En écoutant les nouvelles à la radio, il s'est emporté contre Trudeau, le premier ministre du Canada, et le ministre Chrétien, des *hosties d'visages à deux faces,* qui avaient *poignardé Lévesque dans l'dos.* Je n'ai pas tout compris quand il a parlé de la *Nuit des longs couteaux,* mais j'ai saisi l'essentiel : *on s'était encore fait fourrer, tabarnak!*

Depuis quelque temps, mon père est bizarre. Il ne m'invite plus à l'aider avec ses abeilles ou son jardin. Il me parle et me regarde à peine. Peut-être qu'il a fini par comprendre que je faisais plus que juste me tenir avec Nicolas et qu'il n'approuve pas. Je ne serais pas étonnée, tout finit par se savoir ici.

C'est un minuscule feeling persistant. Je me questionne, mais en sourdine, comme quand on ne veut pas trop s'avouer quelque chose ou quand on ne veut pas que la chose à laquelle on réfléchit soit vraie.

Comme quand je pense au départ imminent de Nicolas.

## LE TEMPS ME FUIT

Par moments, le temps s'étire plus loin que l'infini. Par d'autres, il sprinte aussi vite que Carl Lewis.

Certains étés, les vacances m'ont paru interminables. Belinda et moi, on n'en pouvait plus de se faire bronzer, se baigner, danser, écouter de la musique, aller au dépanneur, faire du vélo, cueillir des framboises, capturer des criquets, dessiner, regarder la télé, compter les wagons, chercher des trèfles à quatre feuilles, jouer aux billes, à la corde à sauter, à l'élastique, au coq ou à la poule…

Tout ce qu'on aimait finissait par nous ennuyer, à tel point qu'on espérait même le début de l'école. Ça veut tout dire. Personne n'a envie de retourner en classe, de faire des devoirs et des leçons, personne même si, vers la fin de l'été, on en a tous un peu envie.

Après seulement deux, trois jours en classe, ça nous passe. On regarde par la fenêtre pendant que la professeure donne des explications au tableau. Les arbres, le soleil, les nuages, le vent nous appellent. Ils n'ont pas besoin d'insister, de sortir leurs atouts pour nous charmer. Ils n'ont qu'à être. Leur liberté accentue notre sentiment d'étouffement et d'enfermement. On aurait envie de crier : «Attendez-nous, on arrive !» avant de s'envoler par la fenêtre entrouverte.

Mais, cet été, le temps s'accélère. Cette fois, les vacances étaient à peine commencées que j'appréhendais qu'elles me filent entre les doigts, comme lorsque Nicolas a tenu ma main dans la sienne la première fois. Et c'est ce qui arrive : le temps me fuit. J'aurais préféré qu'il fasse du surplace pour l'éternité.

Chacun des moments avec Nicolas contient la menace de la fin, de son retour à Montréal. Nos jours sont comptés. Je passerais chaque seconde du reste de ma vie avec lui. Jusqu'à son départ, c'est ce que j'entends faire, malgré les reproches à mots couverts de mes parents, qui préféreraient me voir jouer avec les *enfants de mon âge*. Ne voient-ils pas que je ne suis plus comme les *enfants de mon âge*, que je ne suis plus une enfant ? Une transformation s'est opérée : je suis aimée et j'aime.

L'imminence du départ de Nicolas ajoute à nos rencontres de l'intensité et un sentiment d'urgence. J'emmagasine son odeur, son rire, sa voix, sa démarche, ses lèvres, ses yeux, ses mains… Chaque fois que je le regarde, le sens, l'entends, c'est une occasion à ne pas manquer de faire le plein de lui, et de lui avec moi, le plein de nous.

Cette provision de souvenirs comblera en partie son absence. Mais, au cas où ça ne serait pas suffisant, j'ai été aussi prévoyante que la fourmi dans la fable de La Fontaine. Je ne serai pas dépourvue à la fin de l'été.

La mémoire est une faculté qui oublie, et la mienne plus que les autres, selon ma mère, qui dit aussi que ma mémoire est sélective. J'ai beau avoir envie de me rappeler tout au sujet de Nicolas, je ne prends pas de risques. Je note dans un cahier mes souvenirs et ses promesses et je conserve tout dans une boîte, les mots et les cadeaux.

Chaque soir, dans mon lit, je fais un retour attentif sur un présent passé que je ne veux pas oublier. Même si j'ai l'impression que l'écriture éclaire plus intensément les événements, les gestes, les silences, les sensations, les émotions, je conclus que les mots en ma possession ne seront jamais à la hauteur de ce que je vis avec lui. Mes mots sont fades en comparaison avec la puissance de ce que je ressens. Je vole donc des mots aux chansons et aux films d'amour, qui, eux, expriment avec intensité et justesse le trouble ardent de mon corps et de mon cœur.

Lire mon cahier et ouvrir ma boîte me feront revivre l'été de mes douze ans pour toujours. Quand je serai rendue au bout de mon récit, je n'aurai qu'à le recommencer pour éprouver de nouveau tous mes émois.

Ce sera ma chanson enregistrée sur les deux faces d'une cassette vierge. Quand mon courage faiblira, quand la douleur du manque deviendra intenable, je m'accrocherai à ses promesses d'appels, de lettres, de visites, et aux mots de mon cahier.

Ni le temps ni la distance ne nous sépareraient. Rien ne nous séparerait. Il me l'avait promis de toutes les manières possibles, comme dans les films, juré craché, croix de bois, croix de fer.

S'il ment, j'irai en enfer.

# INQUIÉTANTES ÉTRANGETÉS

Je n'en reviens pas qu'on en parle jusque dans *La Presse.* Dans la nuit de samedi dernier, le poste de police a reçu «quarante appels en moins d'une heure qui signalaient une boule lumineuse au-dessus de la montagne». C'est écrit noir sur blanc. Mon père dit qu'on va encore passer pour des illuminés.

Moi, je dormais, je n'ai rien vu, mais ce n'est pas la première fois que ça arrive. Dans son émission *Ésotérisme expérimental*, Richard Glenn rapporte souvent la présence d'ovnis ici. Ces histoires d'extraterrestres, c'est comme le monstre du lac Hertel dans la montagne, comme Dieu et la résurrection de Jésus, comme les enfants déchiquetés par la souffleuse, comme les filles vidées de leur sang sur le shifteur d'une voiture, bizarre et dur à croire.

L'année passée, on a aussi parlé de chez nous dans le journal à cause d'une fuite de gaz à la raffinerie. Notre rue avait des airs de fin du monde, encore plus qu'à l'habitude. Des pompiers et des policiers nous évacuaient. On avait été obligés de passer la nuit au Centre civique avec plein d'autres familles. Je me souviens de la sensation étrange d'être en présence de corps endormis que je connais à peine.

Quand on reçoit Huguette, de l'Alberta, et Pauline, de Toronto, deux sœurs de ma mère, avec leur mari et leurs enfants, c'est tout aussi troublant. Ce sont mes cousins, mes cousines, mes tantes, mes oncles, mais ils sont des étrangers. Les sœurs et le frère de mon père n'habitent pas aussi loin, mais on les voit rarement. Ça me fait le même effet quand ils viennent chez nous. Je me souviens m'être déjà fait garder par ma cousine France. Elle avait coupé mon grilled-cheese en carrés au lieu d'en triangles, et ça m'avait fait pleurer. Je regardais mon assiette, en comprenant qu'elle ne me connaissait pas.

Les fous du Foyer Savoy aussi produisent en moi des sensations déconcertantes. Ça m'arrive de les voir sur le pont quand on va à Belœil en auto. Ils marchent avec un casque de hockey sur la tête. Ma mère dit que c'est au cas d'une crise d'épilepsie. Ça me fait penser à la bave du possédé du démon dans *Jésus de Nazareth.*

En allant à l'épicerie Steinberg, on croise aussi parfois le monsieur défiguré. J'ai entendu dire qu'il voulait nettoyer sa carabine. Ça lui a pété au visage. Sa laideur me fascine. Ma mère dit que ce n'est pas poli de le dévisager.

Elle ne se rend pas compte que son mot est mal choisi.

La Beetle au fond du ravin est une autre affaire bizarre de par ici. Comment l'auto s'est ramassée là, dans ce trou, sur le bord de la track, c'est mystérieux. Moi, je n'ai jamais osé descendre. Ç'a l'air dangereux. Je sais que la gang de bums à Charrette y fait le party. Ça m'arrive de rester longtemps en haut, à regarder, hypnotisée, l'auto rouillée envahie par la verdure sauvage.

Tout ça – les corps étrangers, le monstre du lac Hertel, les fous du Foyer Savoy, le défiguré de la carabine, l'auto dans le ravin, les ovnis, la raffinerie – crée en moi une variété d'émotions troublantes, et Nicolas m'en a fait éprouver une nouvelle l'autre soir, à l'île. Au détour d'une conversation, qui n'avait pas rapport, il a dit, d'une manière détachée, comme quelque chose à la fois d'hypothétique et d'assuré : « quand on fera l'amour ensemble ».

Pendant qu'il continuait de parler, un saisissement inquiétant a envahi mon corps, qui ne savait pas comment « faire l'amour », qui n'avait encore jamais pensé à « faire l'amour ». Ni avec David Bowie. Ni avec lui.

N'avoir jamais assez de ses bras, jamais assez de ses lèvres, jamais assez de ses yeux, c'est assez pour moi.

# SQUELETTES

Carmelle est adoptée, et je trouve ça cool. Je lui posais des questions sur les grands-parents de Mathieu, quand elle m'a dit ça, que sa pas vraie mère l'avait élevée, mais ne l'avait pas mise au monde. Sa pas vraie mère en avait pris soin, mais ne lui avait pas donné la vie. Je n'avais jamais rencontré une personne adoptée.

Chez moi, c'est ordinaire et normal. Un père et une mère, mariés, parents de trois enfants. Je fouille souvent dans leur chambre pendant leur absence. Je ne cherche rien en particulier. J'inspecte pour le simple plaisir d'être dans le silence et la pénombre de cette pièce, où j'entrevois qu'ils pourraient être autre chose que juste mon père et ma mère. Je joue avec des boutons de manchettes, je compte la petite monnaie, je déchiffre des factures, je déplie des papiers, et mes parents prennent vie autrement, comme en dehors de moi et de cette maison. Ces fouilles me font sentir à la fois près et loin d'eux.

Aujourd'hui, je suis à la recherche d'indices dans la garde-robe de ma mère et de mon père.

Peut-être gardent-ils secrets des morceaux de leur passé. Peut-être suis-je, moi aussi, adoptée. Peut-être l'un d'eux l'est-il.

Nicolas est sûr que tout le monde a des squelettes dans le placard, et que tous les parents cachent des choses à leurs enfants. La plupart du temps, ils font ça, croit-il, pour se protéger et pour garder intacte leur image de parents infaillibles et tout-puissants. Des secrets éventés leur feraient perdre toute crédibilité.

Je pense, en menant mon enquête, que je ne sais rien de ma mère. Jamais elle ne revient de son travail le pas guilleret et les lèvres volubiles d'anecdotes de sa journée. Elle rentre, se change, se met à préparer le souper, et le reste s'enchaîne jusqu'à l'heure du coucher.

Jamais elle ne raconte des bouts de son enfance. Jamais elle n'évoque les rêves de sa jeunesse. Jamais elle ne nous rejoue les histoires de ses accouchements. Et jamais on ne lui pose de questions.

Elle est notre mère qui travaille, notre mère qui s'occupe de la maison, notre mère qui élève ses enfants, notre mère qui chiale. C'est tout.

Je pense, en menant mon enquête, que je ne sais rien de mon père. Jamais il ne revient de son travail le pas guilleret et les lèvres volubiles d'anecdotes de sa journée. Il rentre, soupe, se met à ses rénos, part à ses réunions scout et le reste s'enchaîne, souvent sans lui, jusqu'à l'heure du coucher.

Jamais il ne raconte des bouts de son enfance. Jamais il n'évoque les rêves de sa jeunesse. Jamais il ne parle de notre naissance. Et jamais on ne lui pose de questions.

Il est notre père qui travaille, notre père qui fait des rénos, notre père qui part, notre père qui revient tard, notre père qui ne chiale pas, mais qui pète, parfois, des coches. C'est tout.

Je ne sais pas si Nicolas a raison. Je ne trouve rien dans la garde-robe qui confirmerait sa théorie. Cette vie rangée me laisse pantoise devant la tempête qui m'habite depuis la mort de Dominic et la rencontre de Nicolas. De l'extérieur, mon air normal ne permet pas de douter que je chavire et que je tangue par la force de toutes ces nouvelles prises de conscience.

Mes parents m'ont appris à être polie, à faire du ménage, à ne pas être en retard, à partager, mais ils ne m'ont pas montré quoi faire avec mes envies de mourir à cause d'un ami pendu et avec mon cœur sur le point d'exploser d'un trop-plein d'amour. Je fais quoi, moi, devant cette mère et ce père, qui ne semblent jamais avoir vécu autre chose que ce qu'ils me donnent à voir, jour après jour? Pourraient-ils seulement me comprendre et m'aider? Avant la mort de Dominic, avant l'amour de Nicolas, je ne pensais pas à ce genre de choses, je ne savais même pas que ce genre de choses existaient.

Je me sens démunie. Je ne suis peut-être pas adoptée, mais, d'une certaine manière, j'ai l'impression de vivre avec des étrangers, que je ne connais pas et qui ne me connaissent pas.

## EXTRÉMITÉS

— Qu'est-ce qui arrive après la mort, d'après toi?

— J'sais pas…

J'ai peur que Nicolas rie de moi. Ce que je sais se résume à ce que mes parents m'ont dit pour Dominic, qu'il est allé rejoindre Dieu au ciel, et à ma croyance que les morts vivent sur un nuage et peuvent lire dans les pensées.

Chaque soir, Nicolas et moi, on se retrouve à l'île. Ces rencontres à l'abri des regards sont mes récompenses pour les tortures quotidiennes de la distance imposée en présence des autres. Même si tout le monde a fini par comprendre – comme mes parents, d'ailleurs –, il reste loin de moi. Chantal me tire des flèches pas très subtiles, mais sinon, personne ne s'en mêle.

Belinda croit que c'est à cause de la différence d'âge, que ça rend tout le monde mal à l'aise et que ça doit rendre fous mes parents. J'ai décidé de ne plus en parler avec elle, qui m'en veut de ne pas venir la voir assez souvent. Elle doit penser croche et elle doit être jalouse.

Parfois, de manière aussi inattendue qu'un éternuement, mon père me menace d'intervenir. «On fait rien d'mal! C'est juste un ami!» Incapable de rester muette face à cette menace, c'est ce que j'ose lui dire. Habituellement, je choisis de me faire toute petite quand il se fâche. Là, c'est différent. Je ne sais pas trop ce qu'il entend par «intervenir». Son air de sévérité mal contenue me laisse imaginer le pire. Et le pire, ce serait qu'il m'empêche de voir Nicolas d'ici son départ.

Je crois devoir ma chance qu'il ne mette pas sa menace à exécution au fait que Nicolas est le cousin de Dominic et le neveu de Michel. Ce n'est pas tout à fait un étranger, un inconnu, quand on y pense. Ce n'est pas un tout croche non plus. Et mon père n'est pas le genre à faire de la chicane. Il doit bien se douter que ça ferait un froid sur la rue. En plus, avec ce que Michel a vécu, il ne va pas en rajouter. C'est ce que je me dis.

C'est vrai qu'on ne fait rien de mal. Chaque soir, Nicolas et moi, on se couche sur la couverture, il me tient par la main, il m'embrasse un peu et il parle surtout.

Nicolas dit des choses sur sa famille. On ne vient pas du même monde. Il habite en ville, dans un petit appartement avec sa mère, ses sœurs et son frère. Son père, lui, va et vient selon ses envies, qui font plus de mal que de bien.

Je ne comprends pas tout, mais je sens que quelque chose veut exploser. Parfois, Nicolas se lève, marche, parle nerveusement, s'emporte. Il m'a raconté avoir déjà défoncé la vitre d'une voiture avec son poing à Montréal. Il en a gardé des cicatrices sur les jointures. Ça me fait peur. Parfois, Nicolas me fait peur.

— Moi, j'sais pas trop non plus ce qui arrive après la mort. Certains disent qu'on se réincarne, d'autres qu'on va au paradis ou en enfer, selon ce qu'on mérite… As-tu déjà pensé à ça, que t'es toi et personne d'autre, que j'suis moi et personne d'autre, qu'on est tous soi et personne d'autre… Ça m'a flashé, j'aurais beau vouloir être ailleurs, dans la peau de quelqu'un d'autre, me demander pourquoi j'suis né de ces parents-là, à cet endroit-là, à cette date-là, dans cette famille-là, je suis réduit à être moi et personne d'autre, même si j'vais vieillir avec les années, changer avec les expériences, j'vais toujours être moi et personne d'autre, c'est fou, mais le plus fou, c'est de réaliser que, dès la naissance, on est condamné à mourir, penses-y, dès qu'on naît, on se dirige vers la mort, la vie est contenue entre ces deux extrémités, la date de notre naissance et la date de notre mort, et on ignore peut-être le comment, le quand et l'après de cette mort, mais la mort est la seule certitude de toutes les incertitudes de la vie, et c'est quoi vivre, dans l'fond, sinon que d'la survie, la vie, c'est d'la survie jusqu'au jour de notre mort, et moi, j'crois qu'il faut du courage pour vivre tellement la vie, c'est absurde, tellement la vie, c'est d'la marde et, des fois, j'me demande si elle vaut la peine d'être vécue…

Mon corps immobile, près du sien fébrile, reçoit cette cascade de mots qui lézardent les murs de mon petit monde. Il continue à parler, en regardant les étoiles entre les branches de l'île, et je ne veux plus entendre ce vacarme. Je souhaite ne jamais avoir été mise en face de ces histoires de vie et de mort.

Comment peut-il se demander si la vie vaut la peine d'être vécue quand lui, il est pour moi toute ma vie, son début et sa fin et tout ce qu'il y a entre les deux? Ne suis-je pas pour lui toute sa vie, son début et sa fin et tout ce qu'il y a entre les deux?

Ne lui est-il pas suffisant de m'aimer moi et personne d'autre parce que je suis moi et personne d'autre?

# L'ART DU MIXTAPE

Faire une cassette ne m'a jamais paru aussi compliqué.

Pour Marie ou Belinda, ce n'est pas déterminant ni révélateur. L'enjeu est simple : les faire triper en agençant des chansons qui me font triper. Faire une cassette à Nicolas pour qu'il pense à moi, pour qu'il ne m'oublie pas, c'est délicat.

Assise à mon bureau, devant mon boombox, je prends toute la mesure de l'entreprise, et ça me paralyse. Chaque étape de cette adéquation musicale est cruciale : quelles chansons, dans quel ordre, et, surtout, pour dire quoi.

D'abord, éliminer ce qui est trop pop, trop quétaine et ce qui est français, parce que ses goûts ne sont pas aussi variés que les miens, et rester concise en optant pour le format soixante minutes. C'est important de ne pas s'épancher et de maintenir l'intérêt.

Le jour de son départ, je lui offrirai mon mixtape, comme un morceau de moi. Ce sera mon ultime déclaration d'amour, celle que je ne lui fais pas en vrai, pétrifiée par ma gêne, ma peur et mon manque de mots devant toutes ces nouvelles choses que je ressens dans mon cœur et dans mon corps.

Les paroles, les notes, les accords parleront en mon nom, diront l'intensité, les nuances et la profondeur de mes sentiments, diront les larmes, l'attente, la désespérance, la douleur, le désir, entre deux solos de guitare.

Avec Scorpions, j'oserai lui faire savoir qu'il n'existe personne comme lui et que je veux juste être aimée par lui ; avec Foreigner, que j'attendais un garçon comme lui dans ma vie, un amour comme le sien, qui survivra à tout ; avec David Bowie, qu'il doit être à moi, partager sa vie avec moi, rester avec moi ; avec Styx, que je vais être seule sans lui, que j'ai besoin de son amour pour me voir, qu'il doit me croire, que mon cœur est dans le creux de ses mains ; avec Kiss, que je suis faite pour l'aimer, qu'il est fait pour m'aimer, que je n'ai jamais assez de lui ; avec Black Sabbath, que je me sens triste, qu'avec son départ je vais perdre le meilleur ami que j'aie jamais eu ; avec Pink Floyd, que je souhaiterais qu'il soit ici ; avec Led Zeppelin, que je n'aurai pas besoin d'avion ou de voiture pour me rendre jusqu'à lui, je vais ramper, ramper...

Je ne lui aurai pas tout dit, mais je lui aurai tout chanté.

## NE PAS DIRE ADIEU

*La Presse* me nargue depuis le début du mois d'août. Aujourd'hui, c'est en gros titres, partout. En pleine première page, trois jeunes, sourires débilement enthousiastes, regardent leur nouvel horaire de cours : « Déjà la rentrée, deux semaines avant la fête du Travail ». Et ça me poursuit jusque dans le cahier mode : « La rentrée des classes avec jupes à volants et pantalons gauchos ».

J'aurais préféré revenir au temps où la semaine de relâche en mars n'existait pas encore, quand l'année scolaire débutait plus tard en septembre. Nicolas commence le cégep dans deux jours, moi, le secondaire dans sept.

Quand j'ai entendu le journal frapper contre la porte de côté, j'ai voulu très fort ne pas être le samedi 21 août 1982, jour de fête de mon père, et jour de départ de Nicolas. L'un me laisse indifférente, l'autre me tord le ventre.

Yeux fermés, j'ai voulu très fort que mon déni devienne réalité. *Aujourd'hui n'est pas aujourd'hui, aujourd'hui n'est pas aujourd'hui...*

Mais aujourd'hui est bien aujourd'hui, et si c'est le jour de son départ, c'est aussi le dernier jour avec lui.

J'ai le temps de pédaler jusqu'au dep avant notre rendez-vous pour recréer notre première rencontre avec des bonbons et, surtout, le Fun Dip. Peut-être qu'il ne remarquera pas le clin d'œil, mais moi, je saurai. Le Lik-a-Stix sera à tout jamais un objet d'amour à mes yeux.

À mon arrivée, il est là, sur la couverture. Et ça me frappe : comment faire des au revoir quand ces au revoir ont la douleur des adieux dans mon corps et dans mon cœur ? Il se lève, me soulève, m'enroule autour de lui, et je prie que le moment de dire *C'est l'heure* ne vienne pas. Qu'il serre les lèvres et les bras autour de moi. À jamais. Pour toujours.

## GRIS OPPRESSÉ

J'ai le mal d'amour. J'ai le mal de Nicolas.

Le cri de l'engoulevent est remplacé par le crépitement de la pluie contre la fenêtre de ma chambre. Dans mon lit, il fait gris oppressé et nuit noire. C'est le moment de la journée où ce qu'on a perdu pèse plus lourd dans le cœur.

Il a fini par dire *C'est l'heure* et par ouvrir les bras. J'ai trouvé le courage de lui donner ma cassette et je l'ai observé marcher, en comptant les secondes qui commençaient déjà à nous séparer.

J'aurais aimé qu'il sente mon regard comme une main aimante sur sa nuque, qu'il se retourne, mû par la force de cette sensation, qu'il me regarde et revienne sur ses pas en courant, qu'il me prenne dans ses bras et qu'il pleure avec moi. Il aurait étiré le temps, jusqu'à ce qu'il soit trop tard, et on aurait passé la nuit entrelacés sous le ciel étoilé.

Ça ne s'est pas déroulé comme au cinéma. Il a traversé le champ sans me regarder une seule fois, et maintenant, je me noie dans les heures qui coulent sans lui en écoutant encore et encore *Un incident à Bois-des-Filion* de Beau Dommage.

Dans cette pièce sombre et triste de vingt minutes, un garçon vient de perdre la fille qu'il aime, noyée dans *l'eau tranquille de la rivière des Mille-Îles*. Et, pour la première fois depuis que j'écoute cette chanson, je comprends, avec une douloureuse fulgurance, ce que veut dire *l'amour, la mort, ça prend son pli sur le même support*.

# UNE VOIX AIMÉE

Des chuchotements volent jusqu'à moi dans le brouillard du sommeil. Une voix fait frémir mon nom en échos, une voix familière, une voix aimée, la voix de Nicolas m'appelle.

Mes yeux s'ouvrent dans la lumière tamisée de l'aube. Il est là, à la fenêtre de ma chambre, juché sur l'escabeau, la main tendue.

— Mais qu'est-ce tu fais là?

— J'ai pas été capable d'partir hier, viens, je t'expliquerai…

Je regarde cette main et je m'inquiète que mes parents se réveillent.

Je regarde cette main et je sens un malaise déployer ses tentacules en moi. Je n'aime pas les choses interdites.

Je regarde cette main et je comprends qu'il me faut choisir entre un affront à mes parents ou un affront à Nicolas.

En quelques secondes, les incidences possibles de l'un et de l'autre traversent mon corps. Je tangue entre la honte et le désespoir, l'un nettement plus insupportable que l'autre : refuser de suivre Nicolas m'est intenable.

J'enfile des shorts, monte sur le bureau et enjambe la fenêtre, en repoussant loin toutes les conséquences de ma désertion, pour courir avec lui, cœur chancelant, à travers le champ.

# PACTE

Couchés, visages collés, jambes et bras amarrés, respiration partagée, nous ressemblons à deux naufragés accrochés l'un à l'autre, trop heureux de ne pas avoir sombré.

Le soleil timide du petit matin danse sur notre peau au rythme du vent dans les feuilles, effleure un œil, une bouche, un bras et s'accorde à notre joie. Je m'étais endormie tard dans la nuit, épuisée par l'accablement de son absence, m'étais réveillée de ce cauchemar au son de sa voix aimée, et me voilà entre ses bras.

Sa bouche murmure à mon oreille qu'il a réussi à trouver une raison pour retarder jusqu'à demain matin le moment fatidique, qu'il a voulu partir, qu'il n'y est pas arrivé, que ça lui faisait mal, qu'il est drogué à moi, que je l'ai envoûté, qu'il ne peut pas vivre sans moi.

Je savoure chacune de ces révélations qui me laissent entendre qu'il m'aime comme je l'aime et qu'il souffre comme je souffre. Il promet de revenir dès la fin de semaine prochaine.

Après un long moment à faire le plein l'un de l'autre, l'enlacement se desserre. Nicolas sort de son sac un couteau suisse, un briquet et une bague en bonbon, qu'il fait glisser sur mon annulaire gauche. Je suis sa fiancée. C'est ce qu'il me dit en riant de mon air ébahi. Je conserverai cette bague toute ma vie dans ma boîte à souvenirs, aussi précieusement que s'il m'avait offert des diamants.

— J'ai remarqué hier pour le Fun Dip que t'as apporté…

Il noircit la pointe du couteau sous la flamme.

— J'ai fait exprès pour le Lik-a-Stix, la première fois… J't'observais lécher la poudre et j'avais envie d't'embrasser…

Alors, pour lui aussi, notre premier baiser s'est échangé par le biais du Lik-a-Stix ? Je n'étais donc pas la seule à avoir regardé les fourmis en étant, en fait, entièrement envoûtée par la présence de ce corps inconnu près du mien ?

Je le regarde essuyer la lame du couteau suisse sur son jeans. Quelque chose de solennel se faufile entre les branches de l'île. D'un geste lent, il fait pénétrer la lame dans sa paume, jusqu'à l'apparition de perles de sang. Il prend ma main gauche, la porte à ses lèvres, je ferme les paupières dans la peur de ce geste fou.

— Non, regarde-moi…

Il enfonce avec une infinie délicatesse la pointe du couteau dans ma chair, ses yeux plantés dans les miens. Un embrasement se répand dans mon ventre.

— À la vie, à la mort?

— ... à la vie, à la mort...

Doigts entrelacés, sangs mêlés, on a fait ce pacte.

Cet amour n'est pas un rêve.

Son cœur palpite au creux de ma paume blessée.

# CRUCIFIXION

Je fais ondoyer ma main lacérée d'amour contre les herbes molles et hautes du champ sur la mélodie d'*Endless Love*, que je nous imagine chanter en duo comme Diana Ross et Lionel Richie.

À mesure que je me rapproche de la maison, la conscience de ce que j'ai fait s'impose, et cette chanson d'amour est remplacée par les remontrances que mes parents feront pleuvoir sur moi. J'ai fui, j'ai manqué la messe, ultime affront, je ne suis pas rentrée de la journée et je serai punie. Tant pis. Je ne peux pas imaginer une sanction qui me ferait regretter ces moments de sursis auprès de lui.

Je suis forte de notre pacte, je suis forte de la promesse de son retour dans quelques jours. Je suis forte d'amour.

J'entre dans ma chambre. Tout a été ramassé et nettoyé. Je me précipite vers ma garde-robe.

— C'est pas la peine de vérifier, tout a été jeté.

Mon cahier, ma boîte, tous mes souvenirs de Nicolas... Je regarde mes parents. L'humiliation me tord le ventre. Je ne leur pardonnerai jamais, jamais, jamais ce pillage et cette dépossession de mes secrets.

Pendant que j'accuse le coup, mon père, glacial, déverse sur moi une tempête de mots, des mots qu'il poignarde dans mon cœur, qu'il cloue dans mon corps. Les mots de mon père me crucifient.

— Avoir su, on aurait dû intervenir avant, pis viens pas m'dire que vous faisiez rien d'mal, que c'était juste ton ami, c'est pas c'que dit ton journal, tout ça, c'est pas des affaires de ton âge, te rends-tu compte, t'as juste douze ans hostie, demain matin, avant qu'y parte, tu lui diras qu'c'est fini, j'veux pus l'voir te tourner autour, j'veux pus qui t'appelle, c'tu clair, pis si c'est pas toi qui l'fais, ça va être moi !

Il sort, suivi de ma mère, qui referme la porte sur ma douleur suffocante. Elle n'a rien fait pour me défendre. Elle a été un témoin silencieux de ma mise à mort par mon père. Ils ne faisaient jamais rien ensemble et là ils s'étaient unis pour m'anéantir.

La vie m'avait brutalement arraché Dominic ; mes parents, eux, Nicolas.

## WE CAN BE HEROES

Tu es là, dans la cuisine de mes parents partis travailler, à croire que je t'ai fait venir pour un dernier au revoir, qui ne doit pas avoir la douleur d'un adieu. Et moi, je suis là, devant ton sourire qui ne sait pas, terrifiée par les mots que je dois dire, que je ne veux pas dire, qu'on m'oblige à dire. Des mots brûlants enfoncés dans la gorge. Des mots coupants à extirper de la bouche.

Je me rejoue la scène dans ma tête et, chaque fois, tout au bout des mots, nous nous effondrons en pleurs, nous nous enlaçons d'amour, et nous faisons des plans d'évasion. Les mots obligés de mon père nous uniront pour l'éternité au lieu de nous séparer. C'est ce que j'entrevois.

Portée par cette vision réconfortante, je trouve le courage d'obéir et d'exhumer les mots de mon père. J'obéirai pour mieux désobéir et, avec toi, partir.

— Mes parents m'interdisent de te voir… On pourra pas s'écrire, on pourra pas s'appeler… T'es trop vieux, j'suis trop jeune…

Ton sourire s'efface. Quelque chose dans l'air se déplace. Du mauvais côté des choses. Je te supplie alors dans le silence froid de mon corps de me prendre dans tes bras, de me prendre à me faire mal, à la mesure de ton envie de t'effondrer en pleurs, de m'enlacer d'amour, de faire des plans d'évasion, parce que, dis-moi, c'est ça, non, qui se déplace dans l'air, ton envie de pleurer, de m'enlacer, de t'évader?

Tu ne dis rien, tu t'avances et prends le couteau sur le comptoir, tourne lentement la pointe vers ton cœur, en plantant avec défi tes yeux dans les miens, qui crient que tu as tout faux, tu as mal compris, tu ne comprends pas, ce n'est pas moi qui te quitte, je ne peux pas te quitter, je meurs aussi, la vie se retire de moi avec les mots obligés, les mots qui ne sont pas de moi, ne le vois-tu pas, ne comprends-tu pas, je ne suis pas la fille de ta mort, je suis la femme de ta vie.

Dans cette cuisine aux rideaux jaunes et à la tapisserie fleurie, d'autres images forcent leur chemin pour se superposer à celle de toi couteau à la main. Je vois du sang, je vois des gyrophares, je vois des menottes, je vois la une des journaux, je vois ma culpabilité, je vois la prison, je vois ma vie anéantie.

Avec les mots obligés qui ne sont pas de moi, je t'aurai poussé vers la mort dans cette rue style-rond-point-cul-de-sac, où il ne s'était jamais, jamais, jamais rien passé avant Dominic, avant toi.

Et tout ça, c'est trop pour mes douze ans.

Et peut-être le comprends-tu, toi aussi, en déposant le couteau, en me tournant le dos et en claquant la porte, comme une gifle, sur nos beaux jours, nos baisers volés, nos mots d'amour.

Je m'affale sur le plancher de la cuisine et me laisse glisser dans le précipice de ma douleur et de ma honte.

À partir d'aujourd'hui, je sais qu'il existe des souffrances qui n'ont rien à voir avec la piqûre d'une abeille ou un clou planté dans le pied. À partir d'aujourd'hui, je sais qu'il existe des souffrances qui arrachent le cœur, des souffrances qui nous laissent vivants, mais pires que morts.

## M'ÉTENDRE SUR L'ASPHALTE

En chemin pour la première journée de mon secondaire, je ne supporte pas d'être avec ma mère, dans cette voiture, si près d'elle, à respirer le même air. Pendant que la route défile, monotone et tranquille le long de la rivière Richelieu, chaque cellule de mon corps reçoit cette proximité comme une agression.

— Vois-tu que c'était la bonne chose à faire, que c'était pour ton bien?

Son visage stoïque fait monter en moi l'envie de crier *on faisait rien de mal, on s'aimait, c'est tout, vous aviez pas le droit de décider pour moi, de me forcer à le quitter, toute cette marde-là, le couteau contre son cœur, son mépris de moi, ma honte de moi, la fin, c'est de votre faute, je préférerais être jamais venue au monde, j'ai pas demandé de venir au monde, je t'en veux de m'avoir donné la vie!*

Ce cri reste une boule informe coincée dans ma gorge, un cri muet, un cri de violence sourde, un cri de mots ravalés jusqu'à la nausée.

Aveuglée par ma volonté que ma mère se sente coupable, qu'elle regrette, qu'elle éprouve dans sa chair de mère toute la douleur de mon amour gâché, de ma vie foutue, je ne vois pas qu'un changement s'opère dans les couches souterraines de mon être.

Dans cette auto, surchargée de ma colère, de ma haine, de ma tristesse, de ma vengeance et de mon désespoir, je n'ai pas conscience de redevenir petit à petit l'enfant que je suis encore pourtant.

Une enfant qui aimerait pleurer la première mort et le premier amour de sa vie.

Une enfant qui souhaiterait se réfugier dans les bras réconfortants de sa mère.

Une enfant qui voudrait s'étendre sur l'asphalte.

Une enfant qui ne serait jamais plus la même.

Une enfant à l'innocence perdue.

Une enfant perdue.

# AND WE KISSED AS NOTHING COULD FALL
( Mixtape pour Nicolas, sans «h», de Julie, sans «h» aussi )

A-Side
**It's More than a Feeling**

Whole Lotta Love - **Led Zeppelin** (5'33)
No One Like You - **Scorpions** (3'57)
We Can Be Heroes - **David Bowie** (4'25)
I Was Made - **Kiss** (4'15)
Heat of the Moment - **Asia** (3'50)
More Than a Feeling - **Boston** (4'34)
Illégal - **Corbeau** (2'56)

B-Side
**Only Stay With Me**

I'm Gonna Crawl - **Led Zeppelin** (5'28)
Changes - **Black Sabbath** (4'43)
Wish You Were Here - **Pink Floyd** (5'41)
Waiting for a Girl Like You - **Foreigner** (4'35)
Babe - **Styx** (4'01)
Who's Crying Now - **Journey** (4'55)
Love of My Life - **Queen** (3'39)

### SUCK IT UP

( Mixtape pour Belinda, aka « l'autre folle », de Julie )

A-Side
**Call Me Anytime**

B-Side
**I'm Gonna Swallow My Tears**

Call Me – **Blondie** (3'32)
Promises in the Dark – **Pat Benatar** (4'48)
Gloria – **Laura Branigan** (4'50)
Don't You Want Me – **The Human League** (3'57)
Whip It – **Devo** (2'37)
Tainted Love – **Soft Cell** (2'34)
Working for the Weekend – **Loverboy** (3'41)
Video Killed the Radio Star – **The Buggles** (4'14)

In the Air Tonight – **Phil Collins** (5'36)
All Out of Love – **Air Supply** (4'01)
I Can't Go for That – **Daryl Hall & John Oates** (3'45)
Keep On Loving You – **REO Speedwagon** (3'20)
Fire and Ice – **Pat Benatar** (3'20)
Bette Davis Eyes – **Kim Carnes** (3'48)
Harden My Heart – **Quarterflash** (3'51)
Open Arms – **Journey** (3'19)

# ACCOMPAGNEMENTS

### Livres

*Discours de la méthode* (René Descartes), *Fragments d'un discours amoureux* (Roland Barthes), *Avoir un corps* (Brigitte Giraud), *Un regard qui te fracasse* (Brigitte Haentjens), *Les maisons* (Fanny Britt), *Manuel de chasse et de pêche à l'usage des jeunes filles* (Melissa Bank), *La détresse et l'enchantement* (Gabrielle Roy), *Sable mouvant. Fragments de ma vie* (Henning Mankell), *La love* (Louise Desjardins), *La sœur de Judith* (Lise Tremblay), *Nous étions nés pour ne jamais mourir* (Lise Vaillancourt), *Une année à la campagne* (Sue Hubbell), *C'est tout* (Marguerite Duras).

### Films

*Annie Hall* (Woody Allen), *The Birds* (Alfred Hitchcock), *Alien, le huitième passager* (Ridley Scott), *La mélodie du bonheur* (Robert Wise), *Jésus de Nazareth* (Franco Zeffirelli), *Il était une fois dans l'Ouest* (Sergio Leone), *Rocky* (John G. Avildsen), *Out of Africa* (Sydney Pollack), *L'homme éléphant* (David Lynch), *Sixteen Candles* (John Hughes), *Fried Green Tomatoes* (Jon Avnet), *Carrie* (Brian De Palma).

### Musique

Diane Dufresne, *Starmania* (Luc Plamondon et Michel Berger), *Pied de poule* (Marc Drouin et Robert Léger), Marvin Gaye, Corbeau, Offenbach, Lionel Richie, Diana Ross, John Mellencamp, Kiss, Harmonium, Charles Trenet, Beau Dommage, David Bowie, Barbara, Olivia Newton-John, Blondie.

### Archives

*La Presse, L'œil régional*

# CRÉDITS DES CHANSONS

Beau Dommage, « Le blues d'la métropole », 1975. Paroles : Pierre Huet ; musique : Michel Rivard. © Éditions Bonté Divine (adm. : Musinfo).

Beau Dommage, « Un incident à Bois-des-Filion », 1975. Paroles : Pierre Huet ; musique : Pierre Bertrand, Robert Léger et Michel Rivard. © Éditions Bonté Divine (adm. : Musinfo).

Corbeau, « Illégal », 1982. Paroles : Marjo (Marjolaine Morin) ; musique : Corbeau. © Thésis Musique (adm. : David Murphy et compagnie).

Diane Dufresne, « J'ai rencontré l'homme de ma vie », 1973. Paroles : Luc Plamondon ; musique : François Cousineau. © Plamondon Publishing et Éditions Peace of Mind (adm. : GM MusiPro).

Diane Dufresne, « J'ai douze ans », 1979. Paroles : Luc Plamondon ; musique : Germain Gauthier. © Plamondon Publishing et Éditions Notation (adm. : GM MusiPro).

Geneviève Lapointe, « Pied de poule », 1978. Paroles : Marc Drouin ; musique : Robert Léger. © Éditions Étoile Polaire.

Offenbach, « Promenade sur Mars », 1980. Paroles et musique : Jean Basil et Pierre Delphis Harel. © Éditions Musicor & Éditions Offenbach (adm. : Editorial Avenue).

Martine Saint-Clair, « Monopolis », 1978. Paroles : Luc Plamondon ; musique : Michel Berger. © Plamondon Publishing et Universal Publishing France (adm. : GM MusiPro).

Fabienne Thibault, « Le monde est stone », 1978. Paroles : Luc Plamondon ; musique : Michel Berger. © Plamondon Publishing et Universal Publishing France (adm. : GM MusiPro).

# TABLE

# DOMAINE JEUNESSE

Linda Amyot, *La fille d'en face*
Linda Amyot, *Le garçon aux chiens*
Linda Amyot, *Le jardin d'Amsterdam*
Aline Apostolska, *Un été d'amour et de cendres*
Jonathan Bécotte, *Maman veut partir*
Jonathan Bécotte, *Souffler dans la cassette*
Biz, *La chute de Sparte*
Julie Bosman, *M'étendre sur l'asphalte*
Simon Boulerice, *Jeanne Moreau a le sourire à l'envers*
Simon Boulerice, *Je t'aime beaucoup cependant*
Simon Boulerice, *L'enfant mascara*
Simon Boulerice, *Paysage aux néons*
Ilona Flutsztejn-Gruda, *Quand la guerre est finie*
Ilona Flutsztejn-Gruda, *Quand les grands jouaient à la guerre*
François Gilbert, *Hare Krishna*
François Gilbert, *Hare Rama*
Patrick Isabelle, *Bouées de sauvetage*
Patrick Isabelle, *Camille*
Patrick Isabelle, *Eux*
Patrick Isabelle, *Lui*
Patrick Isabelle, *Nous*
Anthony Mak, *Les disciples de Kaïros*
Jean-François Sénéchal, *Au carrefour*
Jean-François Sénéchal, *Feu*
Jean-François Sénéchal, *La mémoire des Ombres*
Jean-François Sénéchal, *Le boulevard*
Jean-François Sénéchal, *Le cri de Léa*
Jennifer Tremblay, *Des éclats de nous*

Achevé d'imprimer en septembre 2018
sur les presses de
Marquis imprimeur

Éd. 01 / Imp. 01
Dépôt légal : septembre 2018